「文化財」から「世界遺産」へ

考古学ジャーナリズムの視点

はじめに

「新聞記者」という言葉も死語になりつつあるのか、最近は領収書に「新聞」の文字を正確に書いてもらえないことさえある。ネット空間に無限の情報の海が広がり、SNSが席巻する昨今。かつてのように旧メディアが情報を独占して一方的に流す状況はすっかり消え失せた。確かに、時代は変わった。

文化財報道や考古学ジャーナリズムもまた、自らの変化を迫られている。私が新聞社で歴史や考古学、文化財、そして世界遺産といった分野に携わって三〇年ほどになる。大学では中央アジア史とか西域史をかじっただけで、モノを扱う考古学とは縁が薄かった。ところが新聞では「新発見」が重視され、地味な文献史料の解釈などニュースにならない。

なるほど考古学は、市民サービスを担う行政内にも専門家が多い。周知の埋蔵文化財包蔵地での発掘調査が法律で定められ、そこには税金が投入されたり原因者が負担を求められたりと、社会活動と日常的に深く結びついている。上流階級が残した文献の世界と違って、文字のない先史時代は誰もが先人の記憶を共有できるから関心は高いし、ロマンにもあふれている。いきおい、地中から「初めて」がわいて出る遺跡ニュースも、意外なほど大きく扱われる。

批判がないわけではない。マスコミは最初だけセンセーショナルに報じて、なんのフォローもしない、とおしかりを受けることもある。確かにマスコミの刹那性は、何年もかけて類例を集め、検討に検討を重ねて結論を出すという学問的な方法論とは対極だ。膨大な出来事をいち早く伝えるという報道機関の性格上、それは仕方ない。ただ、メディアというツールが学界と市民社会をつなぎ、過去と現在の橋渡しをしている事実を軽んじることはできない、と自負している。

一方、私たちが取材対象にしている学界も様変わりしつつあるようだ。文系学問のど真ん中のごとき考古学の世界にも数字や横文字が氾濫するようになり、ひとつの論文に複数の執筆者が名を連ねることも珍しくない。細分化とともに多様な分野も派生し、遺跡学とか情報考古学、観光考古学、パブリック・アーケオロジーといった新たな概念も生まれている。マスコミ考古学という言葉も耳にしたことがある。ならば、報道を通した歴史遺産をめぐる社会動向の記録は現代史の一部であり、「考古社会学」とでもいうべき領域を設定してよいかもしれない。学術的視点とは正反対のメディア目線で遺跡や埋蔵文化財を眺めたとき、そこに見落としてきた情報や新鮮な価値観が浮かび上がってこないだろうか。

報道機関と記者が立脚するのは市民社会である。学界と社会を隔てていた垣根はますます低くなり、観光産業や地域興しをはじめとして歴史遺産の活用が声高に叫ばれ始めた。潤いある住環境、地元アイデンティティーの模索、知的好奇心を満たすよりどころ、人生設計への糧……文化財には人々のあらゆる思いが投影されている。だからそれを報じるマスコミも、歴史遺産を通して人々の心を豊かにし、社会発展を促す責務を担っている。それこそが、ジャーナリズムがこの分野にかかわり続ける意味なのだと思う。

本書は、遺跡取材にまつわるエピソードや、とっておきの裏話の紹介といったたぐいではない。ここに選んだ複数の論文は、かつて私が専門雑誌などに寄稿したものである。原則として、いずれもあえて執筆時のままで掲載し、最新データの補足や改変は最低限にとどめた。そのときどきの私の関心事や問題意識、あるいは当時の空気感をリアルに感じてもらいたいからである。また、それぞれが独立した論文なので内容的にかなりの重複部分があり、ダブり感も否めないが、ご海容いただきたい。なお、最新のデータがある方が好ましいと判断した場合に限り、まるガッコに※を付して文中に挿入した。

なぜ考古学報道は存在するのか。歴史担当記者として自問してきたテーゼへの、現時点での答えをここに凝縮したつもりだ。アカデミズムからの視線とは違う、報道機関に身を置く者だからこその歴史像を感じていただければ幸いである。

「文化財」から「世界遺産」へ　考古学ジャーナリズムの視点　●目次●

Column

第Ⅱ章　「文化財」から「世界文化遺産」へ

第I章 考古学とジャーナリズム

朝日新聞 2000年(平成12年)11月6日 月曜日 4118

「最古の石器」自分で埋めた

「旧石器の第一人者」藤村氏認める

宮城・上高森 先月発掘の61点

北海道でも30点

再検討を迫られる学界

文化庁、調査へ

旧石器遺跡捏造事件を報じる新聞
(朝日新聞 2000 年 11 月 6 日付朝刊)

中尾山古墳の現地説明会（奈良県明日香村、2020 年 11 月 28 日）

考古学にジャーナリズムは必要か

「考古学ジャーナリズム」という語がある。決して人口に膾炙した言い回しとは言えないけれど、私の業界ではごく自然に使われてきたように思う。が、考えてみれば不思議だ。政治ジャーナリズムや科学ジャーナリズムはあっても、特定の学問分野の名を冠するものはあまり見かけない。量子力学ジャーナリズムや上代文学ジャーナリズムなんて聞いたことないし、歴史学の分野に限っても中世史ジャーナリズムとか西洋史ジャーナリズムも耳慣れない。なのに、考古学だけは「ジャーナリズム」と妙に相性がいい。なぜだろう。

思うに、ジャーナリズムが負って立つ市民社会に、考古学は他の学問分野より密接にかかわっているからではないか。とすれば、考古学もまた、必然的にジャーナリズムが扱う対象となる。

確かに新聞の社会面を飾る学術関係記事のなかで、発掘ニュースはとりわけ多い。「新発見」という現在進行形をともなうから、メディアに扱われやすいのは当然なのだ。加えて、この学問を技術的手段として必要とする埋蔵文化財保護行政や活用施策が、私たちの日常と不可分にあることとも無関係ではないだろう。

ところで、みなさんはジャーナリズムに、どのようなイメージをお持ちだろうか。『広辞苑』を開いてみると、「新聞・雑誌・ラジオ・テレビなどで時事的な問題の報道・解説・批評などを行う活動」とある。在野的な論評や批判的な権力監視といった意味合いで使われる場合も多いようだ。その中核を担ってきたのは日刊紙や出版といった旧メディアであり、SNSの出現によって相対的にその影響力が低下した現在でも、ジャーナリズム自体の役割は不変に思える。しかし、そもそも市民社会は、考古学や文化財にジャーナリズムを必要としているのだろうか。

マスメディアが扱うのは森羅万象であり、文化財の世界も例外ではない。新聞は広報誌ではないから、ジャーナリズムとしての責務を全うするには豊かな知識と確かな分析力、問題意識や批判精神などが求められる。とはいえ、この分野に監視するべき政治勢力があるわけではないし、事件性があるわけでもない。発掘調査成果の発表などでも第一報は事実の羅列のみで、よほど大きなニュースでない限り「解説」をともなったり、内容を咀嚼して分析が加えられたりすることは少ない。特ダネなどを別にすれば、初報は読者や視聴者に最低限の事実を簡潔に伝えるのが目的なのだからこれはこれでかまわないが、そのかわり書き方に個性を出すとか、取材にしのぎを削るといった競争もいらない。

ジャーナリスティックな要素が意識されるのは、むしろ文化面などかもしれない。規模の大きな全国紙はいろんな分野に経験豊富な記者を配しており、彼らが執筆する記事は、ニュースが中心の社会面に比べて専門性を持つ。ただし、メディアは学術成果の発表の場でも学会誌でもないし、記者も研究者ではない。取材成果を社会活動のなかに位置づける視点があって初めて、文化財報道はジャーナリズムを称することができる。考古学がどう日々の暮らしと切り結ぶかを考えることこそ記者の使命であり、それを担うのが専門記者の責務と言えるだろう。

インターネットとSNSは、情報提供のシステムとメディアのあり方を劇的に変えた。これからマスコミは考古学や文化財の世界と、どう付き合っていくべきなのか。社会が私たちに求めているものとは、なんなのか。報道はアカデミズムと市民社会との架け橋になり得るのか。

以下は、私が専門記者の一人としてそんな思いを巡らしてきた、一片の走り書きである。

考古学とマスメディア

考古学研究会60周年記念誌『考古学研究60の論点』（考古学研究会、二〇一四年）

新聞をはじめとする既存のメディアにとって、考古学は学術記事の大きな柱である。紙面への露出度も高い。なぜなら、発掘調査とはきわめて社会的な活動でもあり、往々にして新発見という、報道の特性に合致する現象を伴うからである。ところがいま、インターネットなどの新たな媒体やこれまでにない価値観が台頭し、既存メディアや従来の報道形態が根底から揺れている。それはメディアと考古学との関係にも、少なからず影響を与えているようだ。

新時代の考古学とメディアとの建設的な連携構築には、研究者や文化財行政の担当者もまた報道が持つ限界を知り、メディアの特質を的確に把握することが不可欠であろう。よく指摘される文化財報道の問題点をいくつか挙げてみよう。

とかくマスコミは誇張しすぎる、あるいは一部の文脈だけを切り取って真意を報じない、という批判がある。確かにある意味、その指摘は当たっている。ただ、新聞は学術誌ではない。学術成果と一般社会とをつなぐ、いわばツールである。海外情勢から国政、経済、事件など森羅万象の出来事を網羅し、紙面上で格付けしていく性格上、よりよい扱いを求めて「国内初」とか「最古」「最大」といった刺激的なフレーズを採り上げる傾向が見られるのは確かだ。それなしには掲載もままならない、という場合も少なくない。そんなジレンマのなかで、確信犯的に誇張した表現が使われる場合もないとはいえない。

そこに日本特有のシステム的な問題が絡んでくる。オピニオンリーダーとして地域文化を担う地元紙は地域ナショナリズムを代弁する側面があり、特定地域を称揚し、拡大解釈する反面、ブロック的あるいは全国的に比較検討する相対的な視点が欠落しがちである。全国紙もまた、複数の本社に分かれて東日本や近畿、九州などと管轄を異にするため、地域によって異なる紙面ができあがる。要するに、発掘成果の報道には地域性というバイアスが避けられないのである。また、各地の発掘関係記事を通覧していると、ときに基本的な誤解や無理解が目につく。専門的な文化面と違い、そのほとんどが市町村の発表にもとづく初報

報道陣に公開された大山古墳（伝・仁徳天皇陵）内の発掘成果（大阪府堺市、2021 年）

は、まったく考古学の知識のない総局や支局の記者が手がけることも多いためだ。それが常態化している事実に留意する必要がある。

これまで考古学関係の記事といえば、「○○する上で貴重な資料」などというお決まりの表現が並ぶ原稿を、著名な研究者の談話で締めてオーソライズさせるというパターンが多かった。だが、研究の細分化や複雑化とともに、そんな紋切り型の記事は通用しなくなっている。

さらに、インターネットの出現は既存メディアの限界を軽々と越え、これまで一方的にフィルターを通して制限されてきた情報とその流れを一八〇度転回させた。この結果、利用者の前には無限の情報の海が広がることになった。その直接的で平等な一次情報は、既存メディアが抱えた前述の諸課題への解答を、確かに予感させる。また、ネット上でのリポジトリなども活用次第で、膨大な情報の蓄積のみならず、近年の報告書の部数減がもたらしている、国有財産の共有と公平な享受という理念崩壊への危機と矛盾の解消に役立つかもしれない。新時代のメディアが、これらの問題解決への有効性を秘めていることは否定できない。

では、既存のメディアによる考古学報道は、もはや必要とされないのだろうか。

なるほどインターネットの登場は、既存メディアが課す数々の制約からの解放をもたらすかもしれない。だが同時に、膨大な情報の選択において信頼性をどこに担保すればいいのか、という難問も浮上する。それは考古学にも当てはまる。遺跡データの誤謬、客観的な評価や検証作業抜きのひとりよがりな論考がネット上で垂れ流されることも多いし、自説への誘導や他説への中傷も見かける。邪馬台国論争などはその最たる例だろう。議論の場としてのネットの有用性は認めたいが、ともすれば、情報操作の容易さが真実を含む少数意見を駆逐していくことにもなりかねないのである。

　だからこそ、ネット環境には第三者としての信頼するに足る、既存メディアがはぐくんできた枠組みが改めて求められよう。情報提供者としての責任を読者に負い、常に市民社会の厳しい日にさらされてきた既存メディアは、長い歴史のなかで客観性と信頼性を培ってきた。ゆえに、監視機能を社会から付託され、ジャーナリズムの名を冠することを許された。この機能と役割は、ネットだろうと紙面だろうと、媒体が変わっても、いささかも減じることはない。むしろ社会にその認識がなくなったときの危険性を理解すべきである。

　考古学記事は、その形や存在意義を変えながらも存続するだろう。加えてこれからは、一過性の出来事にとどまらない、多様な付加価値のある記事が必要とされているように思う。

　近年、文化財の積極的な活用が叫ばれ、社会の生産活動と学術的な成果はますます接近してきている。注目を浴びるパブリック・アーケオロジーをはじめ、遺跡学や観光考古学といった新たな概念も生まれている。それはすなわち、単純に何かが発見された、というだけではなく、その事実をどうとらえるのか、それをどう社会活動につなげるのか、の視点が問われていると言えるだろう。

　東日本大震災の復興作業の過程で、埋蔵文化財調査と被災地住民との軋轢や見解の相違を採り上げた報道は記憶に新しい。考古学がいかに地域住民と無関係ではいられないかを示す事例であるとともに、それはどこにでも起こりうる普遍的な問題であることを印象づけた。さらには、文化財保護＝善といった単純な図式が成り立たないことも改めて表面化させた。かつて大宰府（福岡県）の史跡拡張をめぐり、それを地域の成長を妨げる規制ととらえて危機感を募らせた地域住民が繰り広げた反対運動を思い起こさせる。災害と開発という違いはあるが、住民にとって文化財の保護が必ずしも是であるとは限らない構図は共通するし、それはいつの時代も内包されているはずだ。この難問の答えを導くためには、私たちは、住民にとって文化財とはなにかを、メディアを介して社会に問い続けるしかない。

この視点は我が国の文化財政策だけでなく、世界的に敷衍させるべき課題である。経済的な利害関係のみならず、民族紛争や社会的格差などの諸問題にもかかわってこよう。なぜバーミヤンの巨像は破壊されねばならなかったのか。なぜハーグ条約で守られるはずのドゥブロヴニクは攻撃されたのか。内戦で混乱するシリア北部のアレッポで、世界遺産であるスーク（市場）が焼け落ちねばならなかったのはなぜなのか。そこにはユネスコが謳う異文化重視の理念が進めば進むほどに生まれる逆説的なジレンマ、あるいは価値観の多様性や民族意識、ナショナリズムの覚醒にともなう摩擦がある。この複雑な問題に対処するには、確固たる意思と主張を持ったメディアによる地道な情報発信と働きかけが必要なのである。

民主主義社会のなかで、報道は不正の監視という社会的責務を負う。それは市民社会に深く結びつく限り、考古学も例外ではない。

先ごろ、もっとも倫理が求められるはずの医学・生理学分野で、研究者を自称する人物によるｉＰＳ細胞臨床応用の捏造がメディアにのって流布し、大きな騒ぎになった。この事件は、考古学界を揺るがした二〇〇〇年の旧石器遺跡捏造事件ときわめて似ている。特定の分野にかかわらず、功名心にかられた者が存在する限り、同様の事件が起こる要因はなくならないし、特ダネを求めるメディアと容易に結びつく危険性を常にはらむ。実際、マスコミはこれらの捏造に加担してしまった。ただし、それを暴いたのも、結果的にジャーナリズムであったことを忘れるわけにはいかない。

旧石器遺跡捏造事件ほどではないにしても、ネット上には危うい情報が、検証されることなくあふれている。それが独り歩きを始めた時の危険性は、国家間の諸問題における過激な論調の応酬を見るまでもない。玉石混交の情報が無限にあふれている時代だからこそ、より正確な発信と信頼性が不可欠になってくる。考古学を市民社会のなかに正しく位置づけ、根付かせる作業も、ますます必要とされるはずだ。その役割は、既存のメディアにも求められているのである。

文化財保護行政との付き合い方

マスコミが文化財保護に果たしてきた役割は小さくない。ときにはキャンペーンを張り、市民とともに遺跡保存活動の先頭に立ったこともある。時は移ろい、埋蔵文化財を取り巻く環境は変わった。ステークホルダーや関係者は複雑化し、遺跡の保護が万民の利益になるとは必ずしも言えなくなった。一方で、文化財や歴史に対する社会の評価やアプローチは、近年の積極的な活用の流れもあってか、むしろますます多様化しているようである。となれば、メディアも対応を変化させざるを得ない。ただし、相変わらず世に歴史好きは多い。あまたある学問分野のなかでも、格別にもてはやされている気がする。形は変わっても、歴史や考古学をマスコミがフォローする必要性は、いささかも減じていないと思う。

学問といえば、大学で学んだり仕事に不可欠だったりするもの以外は、その人にとってよほど興味がなければ生涯無縁というのも、ごく普通のことだろう。ところが歴史は好むと好まざるとにかかわらず、あるいは意識するしないにかかわらず、すべての人のバックボーンにある近しい存在だ。私たちは例外なく祖先のＤＮＡを引き継いでおり、先人の歩みを無意識に背負っている。つまり、誰もが歴史とともに生きている。だから他の学問に比べてはるかに身近で、親近感も群を抜く。とりわけ、モノを扱う考古学はビジュアルな性質を持つので、文字だけの文献史学などに比べてイメージを結びやすい。映画や小説の主人公が考古学者というのもざらにある。

ひと昔前までアカデミズムといえば象牙の塔に閉じこもった、一般人の手の及ばない閉鎖的な世界だった。そんななかで考古学は、いっぷう変わった存在だ。一九六〇年代なかばに発掘調査の主体を地方公共団体の教育委員会とすることが原則化されるまで、つまり公的制度の整備が十分になされるまでの発掘は、その多くを市井の歴史愛好家や高校の考古学クラブが担っていた。取材先で少なからぬ研究者から「僕は昔、考古ボーイだったよ」などと聞くと、そのおおらかさと裾野の広さに感心したものだ。

行政発掘が制度化されたあとは彼らの活躍も減ったけれど、世間における考古学への関心はむしろ高まっていった。自治体内では専門職も増え続けた。都道府県はもちろん市町村にいたる末端組織まで専門職を配置した学問分野なんて、ほかにあるだろうか。学部や大学院で考古学を学んだ六〇〇〇人近くの職員たちが、その専門性を生かして行政サービスを提供している例は世界的にみても珍しいと思う。つまり、彼らが日本の誇る精緻な文化財保護行政を支えているわけだが、考えてみれば不思議なことだ。

いくつかの理由がある。まず、前述のように考古学が、一般市民の関心が高い学術分野であること。目の前にあるバリエーション豊かな出土遺物や遺構を眺めたりふれたりできる感動は、他の学問分野では味わえない魅力だ。もちろんそれらを実際に運用するとなれば特別なスキルや知識が必要で一般の人々の関与は難しいが、巷にあふれる入門書や概説書はその欲求を満たしてくれるし、ロマンやあこがれを共有していにしえの旅へといざなってくれる。考古資料を展示の中核とする博物館や歴史民俗資料館もおびただしく、超高齢化社会における生涯学習や生きがいづくりといった知的好奇心の発散の場としてもうってつけだ。

そして、直接・間接に社会活動と深くかかわっていること。ビルひとつ建てるにも、そこに遺跡があるかどうかが問題となる。いわゆる周知の埋蔵文化財包蔵地内に開発計画が持ち上がった場合、文化財保護法に基づいてまずは自治体に届け、必要があれば発掘調査が求められる。しかもその多くが原因者負担という、調査費用の開発側持ちで。事業者側にとってはなにか釈然としない気持ちもわからなくはないし、実際、訴訟も起きている。が、この原則に至るまでの、大規模公共工事と対峙してきた保護行政の、長い試行錯誤の積み重ねを知れば、納得もできるのではないか。

こんな暮らしに直結した埋蔵文化財行政は、私たちマスコミにとっても大切な取材相手である。国民の財産を誰もが享受するための有意義な情報を市民に広く提供するには、自治体の文化財保護行政部局との緊張ある健全な関係が不可欠だ。文化財報道においてメディアは行政と、どう付き合っていくべきか。かつてしたためた小論をここに掲げよう。

メディアと埋蔵文化財行政

主に発掘報道におけるマスコミと地方自治体との健全な関係構築に向けて

『高野晋司氏追悼論文集』（高野晋司氏追悼論文集刊行会、二〇一五年）

新聞記事にとって、発掘報道は文化記事の大きな柱である。文化面のみならず、場合によっては一面や社会面でも大きく報じられる。あらゆる文化的事象のなかで発掘報道がひときわ存在感を示すのは、それが「発見」という、一般市民が関心を寄せるニュースと連動しているからであろう。また、文化財保護法において埋蔵文化財包蔵地で実施される発掘調査は、地域開発をはじめとした市民生活と密接につながる社会的営為といえるから、メディアが報じる機会が多いのは必然といえよう。

周知のごとく、発掘調査のほとんどは行政による緊急調査で、その主体は市町村や公立あるいはそれに準じる埋蔵文化財調査センターなどが担うため、ニュースソースは地方自治体が発信する情報が中心になる。したがって、発信元である地元行政とそれを報じる地元マスコミは表裏一体とも言えるし、有用な成果を社会に広く還元するという意味では両者の目的は一致する。だが、特ダネを追うメディアとあまねく公平な周知を求める行政側とは、その狙いや役割も異なるので、時として誤解や軋轢を生じやすい。

メディアと行政との健全な関係はどうあるべきなのか。両者の建設的な関係構築には何が必要とされるのか。ここでは本論集（※初出論集）と深くかかわる長崎県や九州・沖縄地域の事例を主に引きながら論じてみたい。

暮らしに息づく埋蔵文化財

行政用語としての「埋蔵文化財」は、「遺跡」と言い換えることができるだろう。その一部は「史跡」として行政の保護管理下に置かれている。

町を歩くと、公園化された遺跡を見かける。吉野ヶ里遺跡（佐賀県）や三内丸山遺跡（青森県）など調査時に大きく報じられ、世論の後押しを得て広大な史跡公園として生まれ変わった有名遺跡がある一方で、現地保存はしたものの次第に忘れ去られ、今では荒れ放題といった遺跡も見受けられる。あくまで保存が趣旨だから、目を引くアトラクションがあるわけでもない。あっても、せいぜい復元された竪穴住居が寂しげにたたずんでいるような風景も少なくない。遺跡公園といえば、そんな荒廃した空き地を浮かべる人が多いのではないだろうか。

復元の是非については、埋蔵文化財に上モノがない以上、へたをすれば誤った歴史認識をすり込みかねないといった慎重論が根強い。実際、一九六四年に国際記念物遺跡会議（イコモス）の設立に先立って採択された「記念建造物及び遺跡の保存と修復のための国際憲章」（ヴェニス憲章）では、推測にもとづく修復は厳に慎むべき旨が明記されている。とはいえ、考古学的知識を持たない一般の市民が、なにも見えていない遺跡公園から歴史のダイナミックな息吹を感じ取るのは難しい。そんなジレンマを抱えながら、復元整備事業は文化庁の史跡等活用特別事業（ふるさと歴史の広場事業）などの国庫補助の後押しを受け、統合と拡張を繰り返しながら進められてきた[1]。それは、一九九〇年に同じくイコモスで採択された「考古学的遺産の管理・運営に関する国際憲章」（ローザンヌ憲章）が、一律的に推測復元を禁じたヴェニス憲章に対して、オーセンティシティ（真正性）に配慮したうえでの「実験的な研究と解釈」において、ある程度の復元を許容した考え方と共鳴するものであろう。ただ現実には、市民生活と費用対効果の歯車が十分にかみ合ってきたとは必ずしも言い切れないようである。

しかし近年、埋蔵文化財を取り巻く状況が変わりつつある。公的補助の整備が進むとともに、市民もまた自らの暮らしのなかに遺跡を積極的に位置づけ、社会活動に活用していこうとの動きが加速しているのだ。

文化庁が設置した「埋蔵文化財保護体制の整備充実に関する調査研究委員会」は二〇〇七年、「埋蔵文化財の保存と活用」についての報告をまとめ、地域コミュニティーを重視する町づくりの流れが本格化した。そのなかで、地元の歴史遺産は地域社会の依るべき資産として脚光を浴びることになった。二〇〇八年には「地域における歴史的風致の維持及び向上に関する法律」（歴史まちづくり法）が施行され、文化庁の「文化財総合的把握モデル事業」や「歴史文化基本構想」といった、点から面への保護施策がそれを後押しした。[2] また、歴史遺産が地域振興に貢献できることを知らしめた世界遺産ブームがその背景にあるのも間違いなかろう。

地方教育行政法の改正にともない、全国の地方自治体でも文化財行政を教育委員会から首長部局に移して、観光や地域活性化と一体化させようという動きが目立つ（※二〇一八年の文化財保護法および地方教育行政法の一部改正で、その動きは加速しつつある）。だが、経済や開発部局と密着するがゆえに、ともすれば適切な保存や正確な復元などをめぐって文化財行政側が押し切られる懸念が指摘されている。

二〇一二年、福岡市が市長部局に経済観光文化局を立ち上げた際も、保護の側面がおろそかになりはしないかと心配する声が広がった[3]。

実際、開発の前に文化財保護行政が軽んじられるのはよくある話で、たとえば二〇一三年、熊本市は特別史跡熊本城の復元整備を急ぐあまり、その調査体制の不備と、遺構の保護や学術的検討をないがしろにした拙速な作業を文化庁にとがめられる事態になった。二〇一四年にNHK大河ドラマの放映で黒田官兵衛ブームにわいた福岡市でも、観光のシンボルとして福岡城の整備が進められているが、天守閣があったか否かをめぐって学術的論争が続いているところであり、それを踏まえたうえでの慎重な対応が望まれよう[4]。そしてそれは、埋蔵文化財の整備復元においても当てはまることである。

これらの懸念を払拭するには、行政側の理解とモラルの向上のみならず、市民レベルの認識のボトムアップが不可欠だし、経済発展と文化財保護を合理的に両立させるには、市民社会のなかでの適切なバランス感覚も求められる。それは、一般市民も積極的に考古学的遺産保護の一翼を担うべきだとするローザンヌ憲章の理念や、二〇一二年に京都で開かれた世界遺産条約採択四〇周年を記念する国際会議において打ち出された、コミュニティーとの共生と持続可能な発展というビジョンとも矛盾しない。むしろ、世界の趨勢と国内の文化遺産保護制度は深く連動していると考えるべきである。

では、地域ではどのような取り組みが行われ、どんな課題を抱えているのか。具体的な例をみてみよう。

歴史遺産に恵まれた福岡県太宰府市は、「市民遺産」運動を展開してきた。動産、不動産を問わず、住民自らが身近な伝統文化を「遺産」として認定し、守っていこうという活動である。相対的な価値観による選別が避けられない法制度上の「文化財」と違い、自分たちで「価値がある」と思えるものは何でもいいという。それはおのおのの関係者個人が持つ無数の絶対的価値観に支えられているわけで、『文化財』が外から見る立場であれば、『市民遺産』は内側からみる立場」だと位置づけられているようだ。[5]それが地域の歴史再発見につながっていくならば、歴史遺産の概念は飛躍的に広がるだろう。

今でこそ全国的に著名な大宰府遺跡だが、実は高度成長期に大宰府政庁の史跡範囲が拡張されようとした際、地域開発を鈍化させるとして地域住民のなかから反対運動がわき起こったことがある。[6]当時の情勢に鑑みれば、埋蔵文化財は住民の邪魔者であった。すなわち、遺跡に「過去」と「現在」の二つの時制が同居するという視点で見れば、「現在」に生きる住民にとって「過去」の象徴たる遺跡とその史跡指定は、まさに自らの存立基盤を脅かす存在だったのだろう。[7]

桜が咲き乱れる大宰府政庁跡（福岡県太宰府市）
古代律令国家の最前線を担った中枢の地だが、ここでも保存への長い闘いがあった。

それだけに、近年の顕彰運動は隔世の感がある。市民社会の成熟の結果なのか、住民の価値観が一八〇度転換したわけだが、こんな劇的な変化は経済状況や社会情勢で今後も常に起こりうる、きわめてフレキシブルな面を内包していることを忘れるわけにはいかない[8]。

当初盛り上がった太宰府の「市民遺産」の公開会議も、回数を重ねるにつれて熱気が落ち着いてきたとも聞く。画期的な試みながら、モチベーションの維持は少なからず困難をともなうものだ。市民社会に恒常的に根付くには、一時的な勢いだけでなく、不断の努力が求められる。

もうひとつ、例をあげよう。

二〇一一年の東日本大震災は記憶に新しい。被災後、埋蔵文化財は復興活動の妨げになるといった趣旨の報道が少なからずなされた。生活環境の復旧という喫緊の課題に、文化財保護法で義務づけられた包蔵地の発掘調査はそのスピードを遅らせるという批判だった。生活と文化財保護が再び天秤にかけられたわけである。

だが一方で、これからの町づくりの精神的主柱になるものは、代々その地で先祖が築き上げてきた記憶の集積であり、それを体現するものが埋蔵文化財であるとの考え方もクローズアップされた。歴史遺産こそが長い復興への道標になり得るという認識である。

事実、埋蔵文化財は地域の絆の再構築、あるいは誇りある郷土の再生の助けになっていった[9]。震災に見舞われた福島県広野町では、災害公営住宅建設予定地の発掘で奈良時代の駅家の可能性がある遺構が出土した。その結果、建設計画の一部が見直され、町の歴史的財産として遺跡の中心部が保存されることになったという[10]。

厳しい体験をくぐり抜けてきた被災者の方々が何を欲するか、それは物質的な供給だけではあるまい。編集局の文化部門に身を置く筆者も、震災一色の新聞報道のなか、それとは無関係な話題で埋まった文化面が、被災者の疲れた心にわずかながらも安らぎを与えた、との話を伝え聞いた。人間が人間たる証の文化的活動は、困難に直面したときこそ求められる、人々の心のよすがなのであり、歴史遺産もまた、人々の心の支えとして復興活動の精神的な一助となるに違いない。遺跡には実際に目に見える物理的痕跡とともに、とても数値化などできない精神的な営みの記憶が内包されている。言うなれば「情緒性」が込められているのであり、それが断ち切られてしまえば遺跡は遺跡たりえない、との指摘がある。[11] ならば、その有形無形の地域の記憶を、さまざまな話題を通じて具体的に供給し、「情緒性」というものを喚起し続けるのは、やはりマスコミの使命であろう。

埋蔵文化財行政に身を置く専門家の責務も重い。日本学術会議史学委員会の「文化財の保護と活用に関する分科会」は二〇一四年、「文化財の次世代への確かな継承――災害を前提とした保護対策の構築をめざして」という提言をまとめ、市町村の文化財専門職員の配置は地域の伝統的精神性の存続や復興にともなう地域づくりにきわめて有効だ、と強調している。ただ、文化財保護法のなかに意見具申などをのぞいて市町村の役割が十分に言及されていないため、最も現場の事情を反映する末端組織と国や都道府県との一体的な活動がやりづらいとの声も漏れ聞かれる。[12] マスコミもまた、彼ら市町村の専門職員と二人三脚で連携していくことに異論があろうはずもない。だが、こちらも具体的な道筋は見えない。

文化財の活用は、保護と地域活性化を両立させる理想的な仕組みだ。だが、それを最も有効に駆動するシステムとそのソフトは、いまだ試行錯誤の段階だといえよう。より練り上げられた施策をつくりあげるには、市民社会の理解と協力が欠かせない。多くの市民をいかに巻き込んでいけるか、その必要性をいかに説得力ある形で広く世論に伝えていけるか。文化財報道の意義のひとつが、ここにある。

地域偏向と揺れる公表範囲

文化財関連の発表主体は地方自治体である。国の関与は、二〇〇四年に露見した高松塚古墳壁画の劣化問題など特殊な例をのぞき、文化財の新規指定・選定や登録といった文化審議会答申などが中心であり、個別の調査成果に言及することは、まずない。現場が地方行政にゆだねられているのだから当然で、事実上、自治体発表の向かう対象は自ずとそれぞれの都道府県あるいは各市町村の住民となる。

それを報じるメディアもまた、全国紙やブロック紙をのぞけば原則として都道府県単位で存在するため、情報は一地方内で完結しがちになる。後述するが、その視野の狭さが、時として地域ナショナリズムに結びついていく現象を生んだ。

自治体の発表情報をどこまで社会にスムーズに浸透させられるか。それは国民全体の公平な「知る権利」にかかわる重要な問題だ。だがそれは、第一次発信者の自治体と第二次発信者のマスコミのさじ加減で決まるといってよい。

たとえば沖縄地方を見てみよう。ここでは二大県紙が競い合う。報道は県内で完結し、県外に出ることはない。ときには、両者の激烈な競争がニュース自体を肥大化させ、変質させることもある。

もちろん那覇市には全国紙や通信社の支局がある。だが、沖縄県版が存在しないのでこまごまとした話題を拾う必要はなく、取材対象は基地問題など国政に直結する社会的・政治的テーマに特化する傾向が顕著だ。したがって、たとえ文化財関係で全国レベルの発見があったとしても、その情報が他地域の人々の目に触れることはほとんどない。

自治体もまた、それでよしとする傾向があるかにみえる。地方行政は都道府県民なり市町村の住民に責任を負うものだから、それでいいと言えばそれまでなのだが、全国的に普遍的な価値を持つ情報が切り捨てられるデメリットは小さくなかろう。

沖縄県外の、いわゆる本土の研究者やマスコミは長い間、南海島嶼部の歴史を日本列島史から切り離してきた。ゆえに、列島史に南島文化を積極的に位置づける視点が欠けていたと言わざるを得ない。南西諸島は今でこそ境界論とのかかわりや、「南の文化」としてその個性を肯定的に認める脈絡から取り上げられ始めている[13]。だが、昨今の東アジア史的視点の隆盛に照らし合わせてみれば、国内にもかかわらず長らく低調だったこれまでの傾向は、なんとも不思議なことである。

近年、白保竿根田原洞穴（石垣市）やサキタリ洞遺跡（南城市）といった先史遺跡で人類史上の重要な発見が相次ぎ、全国的に周知され始めている。南西諸島の情報はこれまでも、たとえば『日本考古学年報』や『月刊考古学ジャーナル』誌の臨時増刊号などで定期的に報告されてはきたが、個別物件の積極的な紹介は、沖縄県内の研究者の意識変化はもとより、調査・研究成果の全国発信に熱心な若手研究者の意欲があってこそでもあろう[14]。

さて、こんな閉鎖的な地域偏向を、海に囲まれた沖縄の特殊事情だと割り切ることはできない。同じく島嶼部の目立つ本土の一部地域でも似た課題がありそうだ。本論集（※初出論集）と関わりの深い長崎県を見てみよう。

離島である壱岐や対馬は、それぞれ県の出先機関を持つ。かつては支庁と呼ばれ、その後の組織改編で地方局（二〇〇五年）や振興局（二〇〇九年）などと改称されたが、地理的に強い独立性を有することに変わりはない。大規模合併が進む以前、当該地での発掘成果を知らせる報道資料もここに投げ込まれる場合があったようだ。

２万年をさかのぼる人類の骨が大量に見つかった
白保竿根田原洞穴遺跡（沖縄県石垣市）

神秘的な洞窟のなかに位置するサキタリ洞遺跡（沖縄県南城市）

二〇〇〇年、壱岐にある双六古墳の出土品を披露する記者会見が島内であり、出席したことがある。双六古墳は六世紀後半の前方後円墳で、壱岐直一族の墓ともいわれる九州有数の大規模古墳である。

知り合いから事前に重大発表があるとの情報を仕入れていた筆者は、西部本社写真部のカメラマンをともなって会見に臨んだ。会見場には有名大学や奈良文化財研究所などの名だたる専門家が並んでいた。ところが、マスコミ側は私たちのほか、地元長崎や島内のいくつかの新聞社の記者だけで、なんとも寂しかったように思う。地元マスコミが何人か集まって、「朝日がカメラマンまで連れて来ているが、そんなに大変なことなのか」などと話し合っていたのを覚えている。

馬具とみられる金銅製飾り金具や大刀の柄頭、金糸、二彩、玉類など、盗掘を受けてほとんど断片ばかりだったが、かつては藤ノ木古墳で発見されたような豪華さであったろう副葬品の数々が目の前に並んだ。長崎県外まで伝わる紙面に掲載できたのは朝日新聞だけ。記者会見にもかかわらず、結果的に県外では特ダネになった。

あとで聞けば、支庁への投げ込みだったため、全国紙の支局がある長崎市の担当記者まで会見の案内が伝わっていない、あるいは内容の重要性が伝わらなかったということだったらしい。とすれば、これは行政内での情報伝達のシステム的な欠陥ともいえ、調査成果を享受するべき国民の側にとっては迷惑な話だろう。

長崎県内でも有数の平野を擁する壱岐は、原の辻遺跡という弥生時代の大環濠集落を抱え、古墳時代の高塚古墳は県内最多という重要地域だ。また、古代の対馬といえば朝鮮半島と指呼の間に位置し、縄文時代以来、そんな地理的環境に立脚する特有の文化が栄えた島である。長崎県においてこれらは本土以上に膨大な考古学情報を秘めた地なのであり、縦割り行政の弊害が改善されなければ、今後このような笑えない事例が起こらないとも限らない。

もうひとつ、長崎の例を紹介しよう。

壱岐にカラカミ遺跡という著名な弥生遺跡がある。原の辻遺跡と並ぶ集落遺跡だが、アワビオコシなど漁労具が多く出土するので、従来は漁村的な要素が強調されてきた。二〇一三年の暮れ、ここで特殊な炉跡や鉄生産遺構の存在が明らかになった。弥生時代の日本列島には珍しい地上式の炉で、精錬炉の可能性も指摘されている。

九州大学などが発掘を続けており、その断片的な情報は一年以上前から学会でも公表されていたので、筆者も書くタイミングをうかがっていたのだが、壱岐市教育委員会の発表に合わせ、それに先んじて報じた。西部本社朝刊社会面のトップ級で、東京本社や大阪本社も扱った。

「魏志倭人伝」記載の一支国の首都とされる原の辻遺跡（長崎県壱岐市）
集落跡には建物も復元されている。

さて、筆者が壱岐で詰めの取材をしている最中、現地説明会の投げ込みを見た他紙からも探りが入ったらしい。担当者は事実関係について誠実に答えたはずだが、その解釈については保留したようだ。現場を預かる者としての良心であろう。そのため結果的に、他紙はひと足遅れることになった。

特ダネは通常より大きな扱いになるという事情もあるが、もし朝日新聞が報じなければ、学界をのぞき、この成果が長崎県内を出ることはなかったかもしれない。逆に言えば、広く公表されるべき価値を持ちながら埋没している例は珍しくない、ということだ。市民のほとんどが手にすることのない報告書刊行で義務を果たしたとするか、それ以上の広報活動があってしかるべきとするか、それは担当者個人や組織の考え方にもよるが、いずれにしろ行政とメディアとの接点の段階で伝達がシャットアウトされればどうしようもない。それは読者にとっても好ましいことではないだろう。だから行政と報道機関の両者には、常に意思疎通を絶やさない努力が求められるのだ。

文化財報道とは、その対象の専門性ゆえに、現場担当者やマスコミの判断ひとつで広く報じられたり報じられなかったりする、きわめて流動的かつ恣意的な側面を持つ。それをいかに是正していくかもまた、文化財行政とメディアが抱える大きな課題である。(15)

発掘現場いまむかし

「行政内研究者」という言葉がある。かつて行政に身を置く専門職員らが発足させた埋蔵文化財行政研究会などでも、よく耳にしたように思う。

その呼び名に賛否はあったが、埋蔵文化財発掘調査という行政行為が考古学的手法をツールにし、その方法論で思考を巡らせる以上、両者は不可分の関係だし、行政の専門職もまた研究者に連なるはずだ。

文化庁の「埋蔵文化財関係統計資料」によると、その数は五八六八人（二〇二二年度）とされ、全国組織である日本考古学協会の構成員も多くを自治体職員が占める。七一一一人を数えたピーク時（二〇〇〇年度）に比べれば八割ほどに落ち込んだものの、仕事の内容は、発掘調査や開発側との調整はむろんのこと、教育普及や整備活用の立案まで、逆に広がっている（※二〇二一年度は五四五七人）。地に足のついた実証的な研究成果や論文はここから生み出されるのだから、彼らが大学や研究機関と同様に研究者を自負するのは当然であるし、また自負を持つべきである。[16] しかもそこでは多岐にわたる社会的な論点も展開されるのだから、埋蔵文化財行政とは考古学を土台に様々な分野が複合する、まさに学際的かつ実学的な指向性を備えた存在ともいえよう。

ところで、学界を担う行政の専門職にも変化の波が押し寄せている。ひと昔前の専門職には、行政マンというより研究者として文化財保護の意欲を強く持った人も多く、原因者との粘り強い交渉も彼らが担ってきた。大規模開発時代を迎えた高度成長期、ときには犠牲者を出しながらも、道路公団や住宅公団、鉄道建設公団などとの交渉を通じて築かれた、いわゆる一九六四年体制を受けて、地域における行政発掘の基本的な取り決めを模索したのも彼らだった。

二〇年余りの文化財記者生活のなかで専門職の方々との思い出を振り返ってみると、マスコミに対しても意外に太っ腹な人が多かったように思う。業務上の守秘義務もあったはずだが、上司に逆らい体を張って遺跡を守った、などという武勇伝をよく聞いたし、そこに多少の誇張はあっても、自然と受け入れることができた。大きな発見があって、どこかがスクープしたいと仁義を切ってくれば、「仕方ないな。それがあんたたちの仕事だからな」と腹をくくる。当然、抜かれた社からは苦情が来るが、その処理の仕方もわかっていた。それが新聞記者たちの文化財への理解や経験、取材のノウハウを押し上げてくれた。いわゆる第一世代には、そんな人が多かった。

彼らとの日々の付き合いを通してお互いの立場を深く理解することは、さまざまな面で、報道と行政という垣根を越えた丁々発止の議論を可能にしたように思う。それだけに、行政の古い友人と酒を酌み交わすたび、以前のような属人的な付き合いが薄れてきたとの感想を聞くと、一抹のさびしさを覚える。(17)

さて、そんな文化財行政草創期を歩んだ世代のリタイアが始まって久しい。全国の府県や主要都市にある「文化財保護課」という名称も、もはや保護政策の確立に意欲を燃やした熱い時代の名残と思えなくもない。

よく言われるように、文化財行政もまた小粒化し、担当専門職員の技術者化、さらにはサラリーマン化が進む。(18)行政職員と考古学研究者への分化も目立つ気がする。それは時代の流れでもあるし、否定されるものでもないが、行政内研究者というとらえ方も遺跡の守護者としての矜持も、すっかり影をひそめてしまったようである。

報告書でも、かつてのように本格的な論考で自説を披露することは少なくなったのではないか。遺跡の解釈は大学などの研究機関に任せるべきで、自治体の現場担当者は正確なデータの提供に努めるべきだ、との堅実な考え方があるのかもしれない。生の一次データに恣意性を入れてはならないというストイックな姿勢は、確かに学問上きわめて良心的なものに違いない。一次情報はさまざまな仮説が展開されるための基礎的な土台だから、担当者の関心や自説によってゆがめられるべきものではない。

ただ現場担当者にとっては、遺跡に最初に接する者としての情熱や文化財に込められた社会的課題を果たして十分に伝えられるのか、というジレンマもあるだろう。また、担当者が考古学の探究心を失えば、未熟な調査で遺跡の適切な評価がなされず、結果的に遺跡の破壊に手を貸すことになる、との危惧もある。[19] 日本の考古学研究にとっても、理念を欠く報告書作りの危うさを指摘する声がある。[20]

確かに、同じ「遺跡」でありながら、学術調査と行政発掘との情報処理のあり方が異なるのは、なにか釈然としない。緊急調査にしても学術調査にしても、それが「遺跡から歴史情報を抽出収集する学術的な行為である」[21] とするならば、たとえ発掘の目的が違っても、両者の間で分析の度合いに差があるのはおかしい。また、学術的検討の欠如によって、広く議論されるべき貴重なデータや考古学界が抱える課題解明への手がかりが埋もれてしまう可能性も否定できない。それは国民の共有財産としての埋蔵文化財の意義を考えれば、決して好ましいことではないと思う。

その背景を考えるとき、専門職員が自負してきた研究者としてのモチベーションの減退も無視できまい。近年の行政内では異動や持ち場替えが頻繁に行われ、専門職もまた例外ではないと聞く。首長の意向で、かなり厳しい報道統制が敷かれている自治体もあるようだ。ここでは詳しく触れないが、筆者自身、某教育委員会と現場組織の争いを目のあたりにし、一九七〇年代以降に進んだ現場の財団化や指揮系統の二元化、調査部門と管理部門の分離といった潮流のなかで表面化するきしみに直面したこともある。文化財行政の硬直化があるとすれば、このような変化にさらされている職場環境がまったく影響していないとは言えないのではないか。

緊張ある協力関係の構築に向けて

マスコミと文化財行政が最も多く接する機会は、自治体が発掘調査を公表する記者会見である。ただし、全国で年間数千件もの行政発掘すべてが報道発表されるわけではないから、誰もが重要と認めるわずかな成果に限定する必要が生じる。では、その取捨選択は標準化されているのだろうか。

実は、発表に明確な基準はない。文化庁の細かな指導があるわけでもない。つまり、発表に踏み切るかどうかは、自治体の裁量に少なからず左右されるということだ。その結果、国民共有の財産が建前である遺跡の調査成果が広く国民の目に映らない危険性が生じてくる。

記者会見すればマスコミは大きく扱う。保存

普段は立ち入ることのできない宮内庁管理の「陵墓」（大阪府堺市の大山古墳）
2021年の発掘では宮内庁の調査官らが調査成果の取材に応じた。

運動が市民からわき起こるかもしれない。破壊をともなうのが前提の記録保存だから、開発側の批判と圧力を受けることにもなりかねない。ステークホルダーの思惑が絡む場合もあるだろう。原因者との無用な摩擦を避けたい行政側の意向は理解できるし、日程を遅らせたくないという担当者の気持ちもわからないでもない。

国内の開発ラッシュにともなう緊急調査は、ひところに比べて減少した。それでも、今なお年間八〇〇〇件近くもの発掘が行われている。しかし、筆者の住む福岡市（※執筆当時）を例に挙げれば、公共工事や開発が下火になったことを勘案しても、報道発表は格段に少なくなったように思える。開発側とのトラブルに発展する可能性は、ひと昔前の方がはるかに高かったように思うのだが。この状況が文化遺産の活用という世の中の流れと逆行しているように感じるのは、はたして筆者だけだろうか。もしそれが当たっているならば、前述の専門職の小粒化や細分化、モチベーションの低下と無関係ではない気がする。

もちろん、現場担当者には、行政としての立場と考古学研究者という立場との狭間で葛藤があるに違いない。考え方は十人十色だろうし、それは政策や記者発表のあり方にも反映されるだろう。ときには自治体上層部の意思が関与することもあろう。だが、それを承知であえて言うならば、等しく公共財産である文化財の公開が、個人あるいは一部の組織の裁量に、無制限かつ全面的に依拠してよいはずはない。報道発表に対する、なんらかの数値基準が必要ではないだろうか[22]。

マスコミ向けの発表は義務ではない。むしろサービスの一環なのだが、会計検査院の指導により報告書の部数の減少が目立つ昨今、いかに国民に情報を共有してもらうかは喫緊の課題といえる。効率のよいデータの提供を考えれば、積極的な報道発表は有効なツールになりうるはずだ。国民の税金を投入する以上、その成果を可能な限り広報する努力は行政の義務である。

報道発表を介して過度の価値づけがなされたり、調査成果が独り歩きしてしまったりする危険性を心配する向きもあろう。特に、報道合戦が過熱すればするほどニュースは肥大化し、適正な価値付けをゆがめていくこともしばしばだ。これについては、我々マスコミが襟を正さなくてはならない問題である[23]。

報道機関と行政は、ともに緊張関係があってこそ健全な機能を遂行できる。それが、報道の自由が保証された民主主義社会の大原則であるのは言うまでもない。だが、対峙する存在でありつつも、お互いを補い合うようなカウンターパートであってもよかろう。ときに批判し、ときに連携、協力する大人の関係は、埋蔵文化財という公共財の周知と保全に有用なはずだ。いわば「Ｗｉｎ－Ｗｉｎ」の関係である。

前述のように、調査担当者の意図が記者に対して必要以上にコミットすれば、報道自体が行政によって恣意的にコントロールされかねない。特に考古学という特殊な知識とスキルが要求される埋蔵文化財行政において、この懸念は格段に高まる。

現実問題として、ほとんどの記者に調査内容の軽重を判断するだけの考古学的知識や経験はない。第一報に接するのは支局など社会部系の記者、それも比較的若い記者が多く、ほとんどの場合、学術的な見地に立った判断は下せない。したがって、盲目的に発表者側の見解に従うことも多いから、そこにメディアとしてのチェック機能は働かない。

もちろん、最大の責任は報じる側の準備不足にある。会見のやりとりでもトンチンカンな質問は日常的だ。古代山城の金田城（対馬）の記者発表で、マスコミ側に古代山城と近世城郭との見わけがつかず、会見に同席した大学関係者を激怒させたというエピソードも聞いた。価値の本質に触れずじまいの奇妙な質疑応答も少なくない。その結果、内容をうまく咀嚼できないままの不完全な記事が紙面を飾ることになる。

一方で、親切心からか、そのまま紙面化してよいほど事細かに噛み砕いて意義を説明した発表文を見かける。ありがたいことだが、それはともすればメディアの独自性の喪失につながりかねないし、これでは遺跡が持つ情報を正確に読み取れる記者は育たない。

ときには逆に行政側から、マスコミへの印象づけを狙った意図が透けて見える場合もある。たとえば、長崎県のプレス資料、いわゆる「投げ込み」の見出しや文言に、感嘆符の「！」が添えられている例がいくつかあったように記憶する。原の辻遺跡の関連発表にもあったし、最近では大村市の九州新幹線長崎ルート建設工事で見つかった弥生の大規模な集団墓地である竹松遺跡のリリースにも、「（前略）祭祀行為（葬送の最終段階）がおこなわれたことが推測される遺構を発見‼」とあった。熱意の表れと言えなくもないけれど、やり過ぎれば担当者の「功名心」を疑われかねないし、それがマスコミをミスリードする危険性をはらむことを、行政側は留意するべきだろう。

我々記者はあくまで報道機関の一部であって研究者ではない。したがって、独りよがりの判断は避けなければならない。だからこそ、地域の社会情勢に通じ、学術的な教示やアドバイスはもとより、クロスチェックの役回りをも期待できる、いわば相棒としての専門職員を望むのである。確かに、マスコミとの付き合いは癒着やなれ合いを生むかもしれない。当局の発表とジャーナリズムが一体となって「定説」をつくってしまうことへの懸念もあろう。[24] 報道に携わる者はそれを真摯に受け止めなくてはならないし、一次発信者である自治体担当者もまた高い倫理とともに、報道やメディアという媒体の性格を熟知することが求められるのである。

地域におけるマスコミというシステム

近年、地域社会のアイデンティティーが金科玉条のように叫ばれる。なるほど、それが地域再生のエネルギーの源泉になっているのは疑いないし、最も有効な手段だといえそうだ。地域メディアもまた、意識するしないにかかわらず、その一端を担っている。

しかし忘れてならないのは、それが、ともすれば地域間や住民間における優劣意識を生み、無用な地域間競争を引き起こしかねないことである。地域に根ざすという視点がパトリオティズムとでもいうべき郷土意識の過度の高揚や「お国自慢」につながり、史実への目を曇らせることになりかねないことは常々指摘されている。[25] 地方分権一括法に則した一九九九年の文化財保護法改正さえ、結果的にそれを助長しているのかもしれない。地域社会が成熟を遂げている近年、特にその傾向は目立つようだ。ここでは、「地方の時代」が叫ばれる今だからこそ、あえてそこに潜む落とし穴への警句を並べてみたい。

道州制の導入が盛んに議論されている昨今だが、律令時代以来の「国」意識が今なお踏襲されているように、地域社会のレゾンデートルはきわめて強固である。それらは他者を意識する相対的視野において現れるものであり、往々にして他者を敵対視し、おとしめる意識が働く。この現象は、情報化社会の進捗にともなって日本列島が縮めば縮むほど、より顕著になるものだろう。一見、世界のグローバル化に逆行するようにも思えるが、顔の見える結びつきを求める人間本来の精神的限界を担保するために、自ら生み出した昇華作用の表れなのかもしれない。

情報社会の担い手たるマスコミもまた、この動きに加担してきた。そもそも、新聞やテレビなど既存メディアには情報伝達媒体としての役割とともに、地域社会の振興やオピニオンリーダーとしての顔がある。かつて、戦時の情報統制を見据え、原則一県一紙という体制が国策として推し進められた。その結果生まれた都道府県ごとに君臨する地方紙はおのおのの地域世論を代表する言論機関となり、地方分権論の中核になった。

グローバリゼーションが急速に進むにもかかわらず、程度の差はあれ、今なおこうした性格を共有する地方マスコミ界には、おのずと郷土愛を鼓舞する報道姿勢が生まれる[26]。そんな郷土的カテゴリーに根ざした発想には、皇国史観のもとで画一化された戦前・戦中の歴史教育への反動に加えて、当該地域が新時代の日本列島における歴史構築のなかで重要な舞台でありたいという願望、中央に対する一種のコンプレックス、あるいは長年蓄積されてきたルサンチマン的思考パターンが横たわる。それこそが一部で言われる歴史に価値を見いだす国民性の正体なのだろうし、たとえ消極的であれ、世界でも先進的な埋蔵文化財行政を支持し、拡大させてきた原動力なのだろう[27]。無数の人々がこぞって幻の所在地を求め続ける邪馬台国論争などは、その最たるものに違いない[28]。そしてそれを代弁するのが地方メディアであり、コンプレックスのはけ口として有効なのが、発掘調査で得られた地元の考古学的成果だとは言えまいか。

少々強引に付会すれば、それはポストプロセス考古学や構造主義的な動きと連動していると言えないこともない。閉鎖的な単一文化論に支配されてきた近代史的思考からの解放とも無関係ではないだろうし、歴史上、我が国が、超国家的な視野を求められた欧州などと異なる地理的状況だったこととも無縁ではあるまい[29]。

翻って学界ではどうか。日本考古学は緻密な編年を基礎とする実証主義のもと、数々の優れた成果を残してきた。それが帰納法的な手法に依拠するのに対し、北アメリカや英国などの考古学は演繹的な方法論を重視するという対照的な違いがあるそうだ[30]。帰納法的手法が早急な理論化と距離を置いた形で詳細を極め、それが客観的で堅実な成果の構築に貢献してきたことは事実だが、一方で、それが「たこ壺化現象」を惹起させた要因として批判されることにもなった。前述した埋蔵文化財行政職員の没個性化とも無関係ではあるまい。

だが一見、形而上学的な雰囲気を漂わせる演繹理論の風下に日本考古学を置くことはできない。そもそも、日本考古学が帰納法的実証主義に基づくのは、近代史の歴史経緯のなかで必然であった。なぜなら、かつての皇国史観に支えられた歴史の構築作業は、「国家」の誕生から現在までの歴史の流れを一貫させる目的意識に裏打ちされた、まぎれもない演繹的作業であったからだ。かの大戦をはさんで、非科学的な観念論が敗戦とともに瓦解したとき、歴史学界はそれとの決別を求められた。代わって実証主義に基づく帰納法的手法が採用されたのは自然の成り行きだったのだ。

皇国史観を柱とした全体主義の崩壊にともない、新聞をはじめとした旧メディアは強烈な自己批判を経て、新たな方法論の模索を始めた学界と歩調を合わせ、地域多様性の尊重に目を向け始める。しかしそれはある意味、次世代の地域ナショナリズムの胎動でもあった。

国家政策で細かく地域的に分断されたメディア統制システムはそのまま戦後も引き継がれ、地元密着主義の誕生に有効に働く一方で、過剰な地域至上主義、言い換えれば小ナショナリズムの誕生に加担することにもなった。新時代の到来にもかかわらず、脱皮できなかった旧態依然としたシステムが、ゆがんだ地域至上主義の揺籃となったわけである。

いま、地方における埋蔵文化財行政の現場では、地域間のばらつきや格差が露呈し始めているという。[31]とすれば、それは地方自治体のみならず、地域的に分割され、個々の価値観を有するメディアの問題でもある。地方完結型の報道機関であっても、国内全域にネットワークを張り巡らせた媒体であっても、全国に目を向けた相対的な視点が求められるのは変わらない。

近年注目を浴びるパブリック・アーケオロジーにおいては、教育的、広報的、多義的、批判的という四つのアプローチがあるという。[32]日本の特性のひとつに広報的アプローチの充実があるのは、考古学的成果を取り上げた新聞紙面、あるいはテレビの報道や特集番組の氾濫を見るまでもない。一方で「多義的・批判的アプローチが弱い[33]」との指摘がある。もしそうならば、このようなマスコミの現体制が、批判的視点を鈍らせている側面があるかもしれないし、戦前の人工的な旧体制を引きずりながらもオピニオンリーダーに居座り続ける言論機関こそがそれに拍車をかけている、と言えるかもしれない。

文化財報道[34]、特に埋蔵文化財報道とは何なのか。それは考古学という学問によって析出された歴史的事象を、現代社会の価値観において意義づけ、社会還元のためにメディアを通じてそれを世論に問いかけるプロセス、ということができようし、考古学とメディアとの関係を論じることもまた、パブリック・アーケオロジー的な照射と呼べるだろう。いずれにしても、報道と歴史・考古学界は深くリンクしているのであり、本論のもう一人の当事者である地方自治体の文化財行政もまた、それから逃れることはできないのである。

世の中は地方の時代である。多様性はグローバリズムと矛盾するものでは決してないし、それこそが日本という国全体を浮揚させる活力となり得る。だが、やみくもに自らの優位性を説き、他者を排撃する狭隘なナショナリズムからは何も生まれない。摩擦や争いは、他者への無知、無理解から始まる。それは自らの無知でもある。自分は何者かという問いは、文化財行政、マスコミ双方への問いかけでもあり、同時に自らを相対化する作業でもある。お互いの関係を認識したとき初めて、建設的なパートナーシップが止揚されるのではあるまいか。

小さな郷土の時間的道のりを知ること、それははるかに大きな世界を知り、自らを見つめることであり、それこそが多様化社会の安定につながっていく。だからこそ、メディアと文化財行政には極端な地域主義に陥ることのない見識とバランス感覚が求められるのだ。人類の平和は、足元をしっかりと見据えることから始まる。

註

（1）和田勝彦　二〇〇四「史跡保護の制度と行政」『日本の史跡――保護の制度と行政』、文化庁文化財部記念物課監修　二〇〇五『史跡等整備のてびき―保存と活用のために―　Ｉ総説編・資料編』

(2) 文化庁文化財部監修　二〇〇九『月刊文化財』五四四など
(3) 中村俊介　二〇一二「〈文化財〉取材日記　考古学報道が背負うもの」『本郷』一〇〇
(4) 福岡市では、文化財部が経済観光文化局に組み入れられたことと連動して、歴史文化資源を観光・集客のための「成長エンジン」ととらえる。その中核に据えたのが鴻臚館と福岡城である（福岡市史編集委員会　二〇一三『新修　福岡市史　特別編　福岡城――築城から現代まで』）。
(5) 城戸康利　二〇一四「文化財から市民遺産へ」『七隈史学』一六
(6) 平野邦雄　二〇〇四『史跡保存の軌跡――その苦闘の記録』、井上理香　二〇〇四「『開発』と『保存』――戦後太宰府における史跡保存問題」『「古都太宰府」の展開　太宰府市史　通史編別編』
(7) 山　泰幸　二〇一三「『遺跡社会学』の可能性」『遺跡学研究』一〇
(8) 中村俊介　二〇一四「考古学とマスメディア」『考古学研究会60周年記念誌　考古学研究60の論点』
(9) 禰宜田佳男　二〇一三「『復興』と埋蔵文化財保護」『月刊文化財』六〇二
(10) 近江俊秀・鈴木　恵・西戸純一・長島雄一・山本　誠・渡辺丈彦　二〇一三「東日本大震災における埋蔵文化財の対応――福島県広野町桜田Ⅳ遺跡における保存・活用事例の紹介」『遺跡学研究』一〇
(11) 増渕　徹　二〇〇四「文化財保護と史跡保存」『日本の時代史30　歴史と素材』
(12) 馬場憲一　一九九八『地域文化政策の新視点――文化遺産保護から伝統文化の継承へ』
(13) 藤本　強　一九八八『もう二つの日本文化――北海道と南島の文化』、村井章介・佐藤　信・吉田伸之編　一九九七『境界の日本史』、菊池勇夫・真栄平房昭編　二〇〇六『近世地域史フォーラム1　列島史の南と北』、池田榮史編　二〇〇八『古代中世の境界領域――キカイガシマの世界』、鈴木靖民　二〇一四『日本古代の周縁史――エミシ・コシとアマミ・ハヤト』、村井章介　二〇一四『日本歴史私の最新講義12　境界史の構想』など
(14) 山崎真治・西秋良宏・赤嶺信哉・片桐千亜紀・仲里　健・大城逸朗　二〇一二「沖縄県南城市サキタリ洞遺跡の後期更新世堆積層中より産出した石英標本に関する考古学的研究」『日本考古学』三四など
(15) 中村俊介　二〇〇四『文化財報道と新聞記者』
(16) 広瀬和雄　二〇〇二「埋蔵文化財行政と考古学研究」『文化庁月報』四〇五
ただし、地方文化財行政においては、「発掘調査技師」の調査能力の欠如、あるいは有識者による指導委員会の有名無実化などの問

題点を指摘する厳しい意見があることを忘れるわけにはいかない（山中　章　二〇〇六「埋蔵文化財調査・研究・活用の新たな地平を求めて～埋蔵文化財行政への提言～」『中世遺跡の保存と活用に関する基礎的研究』）。

（17）吉野ヶ里遺跡と歩んできた七田忠昭氏は「発掘件数が多かった過去には、発掘中の遺跡を足しげく訪れ、発掘担当者との雑談の中で、新しい情報を獲得しようと努力する記者が少なからずいた。しかし、近年は、発表されるまでは動かない記者が増えた感がある」と述懐する（七田忠昭　二〇一四「考古学とマスメディア」『考古学研究会60周年記念誌　考古学研究60の論点』）。

（18）末木　健・清藤一順　二〇〇二「行政内研究者と考古学」『激動の埋蔵文化財行政』

（19）岸本道昭　二〇〇四「これからの埋蔵文化財行政」『考古学研究会50周年記念論文集　文化の多様性と比較考古学』

（20）安斎正人　二〇〇〇「埋文行政と大学の考古学研究」『考古学ジャーナル』四五六

（21）田中　琢　一九八六「総論――現代社会のなかの日本考古学」『岩波講座　日本考古学7　現代と考古学』

（22）本論の趣旨とずれるので本文中では触れないが、そもそも緊急発掘は原因者負担を求めながらも利潤を追求する経済活動ではなく、法規制をともなう行政行為である。だから、市場原理としての標準化や競争原理は働かない。直接的な関与は当該地域の自治体に限られるから調査の質にばらつきが発生せざるを得ず、それを是正するバランス機能もない。ゆえに、遺跡の客観性を保つためにも、公的責任に担保された平準化は不可欠と思われる。それが具体的に表面化したのが昨今の「資格」をめぐる議論ではなかろうか。

（23）そんなデメリットを極力抑え、マスコミ同士の無用な消耗戦をなくすために考案されたのが解禁付き発表、いわゆる「しばり」である。これはある意味、行政による報道統制であるため、すこぶる評判が悪い。ただ、それが過剰なメディアスクラムや誤報の誘発を防いでいることも事実だ。特ダネ競争では、スクープされれば心情的にも追いかけ記事が不当に小さく扱われがちになる。すなわち、マスコミの都合によって記事の価値観が変わるわけで、これでは読者への責任は果たせない。「しばり」は報道倫理も絡む、悩ましい問題である（片岡正人　二〇〇〇「マスコミから見た埋文行政」『考古学ジャーナル』四五六、同二〇〇二「考古学とジャーナリズム」『季刊考古学』八〇、坪井恒彦　二〇〇三「これからの考古学と報道の関係」『季刊考古学　別冊12　ジャーナリストが語る考古学』）。

（24）広瀬和雄　二〇〇七「埋蔵文化財報道と考古学」『考古学論究―小笠原好彦先生退任記念論集』

（25）坂井秀弥　二〇一三「遺跡調査と保護の60年――変遷と特質」『考古学研究』二三八

（26）それは、なぜマスコミが過剰とも言える見出しや表現を多用するのか、という疑問への回答にも通じるだろう。新聞やテレビといった主要メディアの性格を考えてみよう。記事の見出しや文章は、シンプルであるほどよいとされる。学術論文と違って、不特定多数の読者や視聴者に向けたものであるから、事象を極力単純化することが、文意を伝えるうえでより効果的なのだ。一方で、可能性を必要以上に拡大解釈させ、一般読者の興味をそそるよう味付けすることも少なくない。そのため、アイキャッチとしての刺激的な見出しが日常的に躍り、都合のよい論理の組み立てがなされる。これはメディアの宿命である（中村俊介　二〇一〇「考古学ジャーナリズムの功罪――複数の事例をもとにしたメディアからの文化財報道試論」『比較考古学の新地平』）。

(27) 広瀬和雄　二〇〇三「埋蔵文化財行政はなぜ可能か！」『考古学研究』一九七

(28) 中村俊介　二〇〇九「邪馬台国論争私見――メディアの立場から所在地論はどう見えるか？」『東アジアの古代文化』一三七

(29) 小野　昭　二〇一三「現代社会と考古学の交錯――科学論の観点から」『考古学研究』二三九

(30) 佐々木憲一　二〇一二「日本考古学の方法論――アメリカ考古学との比較から」『考古学研究』二三五

(31) 稲田孝司　二〇一四『日本とフランスの遺跡保護――考古学と法・行政・市民運動』

(32) 松田　陽・岡村勝行　二〇一二『入門パブリック・アーケオロジー』

(33) 松田　陽　二〇一三「パブリック・アーケオロジーの観点から見た考古学、文化財、文化遺産」『考古学研究』二三八

(34) そもそも考古学ジャーナリズムは学問としての考古学自体を報じるというより、その思索対象である遺跡がどのように社会的な扱いを受けるかに主眼を置いたものだから、より広い意味で「埋蔵文化財報道」と呼ぶべきだとの意見がある（毛利和雄　二〇〇三「曲がり角に立つ埋蔵文化財行政と遺跡の保護」『季刊考古学　別冊12　ジャーナリストが語る考古学』）。筆者としては、「埋蔵文化財」が行政用語であることに鑑みながらも、すでに社会的にある程度認知されている現状を踏まえれば、有形や無形、民俗、古美術などを含む場合は「文化財報道」、考古学的物件に限るならば「遺跡報道」とか「発掘報道」などと呼ぶべきではないかと考える。

郷土史にひそむ魔性

前掲論文でも少し触れたように、考古学が地域アイデンティティーのよりどころや地元愛をはぐくむ「装置」となる例は珍しくない。とりわけ地域社会の衰退が進む現在、その復興の足がかりとして、地元の文化遺産はますます注目を集めている。

かつて考古学者の森浩一さんは、考古学が地域を勇気づける学問であることを力説した。それは全国津々浦々のアマチュア歴史家たちを鼓舞した。ただし、それも度が過ぎれば、排他的で偏狭な地域パトリオティズムに陥ってしまうリスクをはらんでいることを忘れるわけにはいかない。

以下に掲げる二編は、邪馬台国や旧石器遺跡捏造事件など私もかかわってきたテーマを絡めながら、そのメカニズムを自分なりに論じたものである。

まず、邪馬台国。アマチュアを中心に展開する「我が地域こそ邪馬台国」といった所在地論争は地元意識を高め、郷土愛をはぐくむ。大いにけっこうなことだが、我田引水の論考も少なくない。異論に耳を傾けずに無視するだけならまだしも、あまりに熱がこもりすぎれば不毛な水掛け論になるばかり。持論にのみ固執し、他を敵と見なして攻撃、排斥し始めるなら、建設的な学問的議論は遠のき、もはやデメリットしかないだろう。

甘い誘惑をまとい、薬にも毒にもなるのが郷土への思いだ。その典型である邪馬台国論争は、どうしてこんなにも人々を熱くさせるのか。そこに隠された魔性の正体はなんなのか。この読み解きについては、かつて拙著『遺跡でたどる邪馬台国論争』（同成社、二〇一六年）の「あとがきにかえて」でもふれたが、そのもととなった私見を歴史雑誌の連載で披瀝したことがある。一編目は、それを書き直したものである。

そして、二〇世紀の終わり、新世紀の幕開けを目前にして降りかかった、あの旧石器遺跡捏造事件について。

スクープしたのは毎日新聞。その主な舞台は東日本や北日本だったけれど、当時、西部本社（福岡）にいた私自身も後追い取材の応援にかり出され、東京から宮城、埼玉へと転戦して後始末に奔走した。個人的には苦い思い出だが、では、毎日新聞の調査報道がなければ日本の考古学界は、いったいどうなっていたのだろう。そう考えると背筋が凍る思いだ。

メディアは、ある意味純朴で無邪気な捏造者を持ち上げ、その業績をあおって「研究者」に仕立て上げてしまった。その彼が次々とはき出すフェイクニュースを、マスコミはマッチポンプのように報じ続けた。ただ、事態をエスカレートさせたのもマスコミなら、一部でずっとささやかれながら学界が自ら明らかにできなかった捏造疑惑を鮮やかに暴露したのもジャーナリズムであった。

捏造者は次々と「新発見」を繰り出すことで、仲間の専門家たちの驚き喜ぶ姿に溜飲を下げたのだろう。と同時に、東北という故郷が自らの手で一躍脚光を浴び、たちまち歴史の表舞台になっていくことに、彼はひそかな愉悦をかみしめていたのではなかったか。世間に横たわる地元びいき、そこにひそむ優越感やコンプレックスといった複雑な思いを、彼は十分に知っていたはずだ。もちろん、質量ともに増大していくマスコミ報道へのプレッシャーもあったに違いない。

二編目は、そんなマスコミが持つ功罪両面について、捏造事件の波紋がようやく落ち着いた一〇年後に、改めて述べたものである。考古学ジャーナリズムのメリットとデメリット、その相克を乗り越えてなお、マスコミが考古学に果たすべき役割に思いをはせた。

それぞれ執筆から一〇年以上の時をへて、メディアや学界を取り巻く環境や世相は変化したし、私の考え方も微妙に変わったかもしれない。一貫性のない思考のぶれと言われれば返す言葉もないが、一人の記者の成熟過程ととらえていただければ、うれしく思う。

邪馬台国論争私見

メディアの立場から所在地論はどう見えるか？

『東アジアの古代文化』一三七号（大和書房、二〇〇九年所収の論考を改編）

邪馬台国と卑弥呼――。これほど古代史ファンに愛される歴史上のテーマってほかにあるだろうか。これらが登場するのは、たった二〇〇〇文字ほどの「魏志倭人伝」。しかも後半の、ほんの一部である。なるほど、その実態が見えないからこそ最大のミステリーたりうるのに違いない。けれどマスコミ人である私にはむしろ、現代人を魅了し続けるその不思議な力の源はどこにあるのか、多くの人々を誘惑する「魔力」の正体はなんなのか、その解明こそが興味深い。

ここでは邪馬台国の所在地や歴史的位置づけ、卑弥呼の人物像などはひとまずおき、現代社会における邪馬台国論争の意味を探ってみよう。

「二項対立」の形成

二〇〇八年六月二八日付の朝日新聞朝刊社会面に、こんな記事が載った。子どもたちの社会科の理解度を調べる目的で、二〇〇七年に文部科学省の国立教育政策研究所が全国の小学六年生六六六五人を対象に実施した調査結果である。

小学校の学習指導要領に書かれた日本史上の有名人四二人と、その業績を結びつけさせる問題で、トップは「邪馬台国の女王になった」と「卑弥呼」の組み合わせ。正答率は、なんと九九・〇％だ。ちなみに、二位はザビエル（九七・七％）、三位がペリー（九五・一％）、四位が野口英世（九一・七％）。ワースト三は、四二位の大久保利通（二三・五％）、四一位の木戸孝充（二五・四％）、四〇位の大隈重信（二八・七％）ら、明治維新の偉人たちだった。ＮＨＫの大河ドラマでは、戦国ものと明治維新は外さないと聞いたことがあるから、少々意外な気もする。

卑弥呼は三世紀の人物なので、四二人のうちダントツの古さだ。写真もなければ肖像画もない（想像画はあるけれど）。どんな生涯をおくったかさえ、よくわからない。そんな人物が一位とは、いかに世間に浸透しているか、よくわかる。

つまり邪馬台国や卑弥呼は学問的追究の対象であると同時に、暮らしに息づく、いわば「社会現象」と言えないか。この調査が、邪馬台国への社会の関心度を反映した、とまでは言えないにしても、少なくとも児童にとって卑弥呼は、教科書で習う偉人たちより近しい存在ではあるらしい。穿ってみれば、上位は軒並み外国人が占めるから、謎に包まれた卑弥呼もまた、子どもたちには外国人と同じ不可解な存在なのかもしれない。むしろ、そんなベールに包まれた神秘性が吸引力になっているのだろう。そして、それに魅了されたのが子どもたちだけでないのは、言うまでもない。

日本人の邪馬台国へのとめどない興味と熱情は、一体、どこから生まれてくるのだろう。卑弥呼という女性のミステリアスな魅力、わずかな情報でどこまでも空想を馳せることができる「魏志倭人伝」というテキストのおもしろさ、そんなことは言わずもがな、だけれど、それればかりでは、この国民的人気を説明できない。鬼頭清明氏は、その背景にある「ローマン主義的関心」（「邪馬台国論争と考古学」『岩波講座　日本考古学七　現代と考古学』、一九八六年）を強調したが、よく見ると、自由な発想が無制限に誕生しているというより、むしろ既存の緩やかな枠組みに規制されたパターンがあって、それが論争の活気を後押ししているかに思える。

取っ付きやすさの理由として考えられるパターンのひとつは、まず、「二項対立」とでも言うべき、素人にもきわめてわかりやすい対決の構図だ。つまり、「九州VS近畿」である。

相対峙する巨大勢力のぶつかり合いは人間の闘争心をくすぐるものだ。本来、深い真理を探究する学問の世界とは遠くかけ離れた次元の話のはずだが、ポピュラリティーを備える邪馬台国論争は例外だ。いや、そう見えるように仕立てられてきたと言った方がよいかもしれない。

九州と近畿との闘いは、江戸時代から今日に至るまで繰り広げられてきた。たくさんの論争史が出ているから詳しくはそちらに譲るけれど（佐伯有清『研究史　邪馬台国』『研究史　戦後の邪馬台国』、一九七一・一九七二年、乙益重隆「邪馬台国所在地論」『論争・学説　日本の考古学』一、一九八七年、岡本健一『邪馬台国論争』、一九九五年など）、ざっと見渡せば、近畿・九州両説を示した新井白石、ゴリゴリの国粋主義だった本居宣長にはじまり、近代に入ると、菅政友、吉田東伍、那珂通世、久米邦武、星野恒、白鳥庫吉、内藤湖南、三宅米吉、橋本増吉、山田孝雄、喜田貞吉、笠井新也、志田不動麿、肥後和男、井上光貞、三品彰英、藤間生大、水野祐、原田大六……と多士済々。榎一雄の放射式の読解法は衝撃を与え、室賀信夫は地理学の視点から一石を投じた。哲学からも和辻哲郎らの参戦があったし、考古学からは高橋健自や梅原末治らが登場、その学統は小林行雄の同笵鏡理論に受け継がれ、三角縁神獣鏡や画文帯神獣鏡研究の隆盛に至る。

高度成長下ではアマチュア歴史愛好家や在野の研究者、作家らの参入が相次ぎ、まさに百花繚乱を呈す。古田武彦や安本美典、奥野正男ら諸氏の華々しい活躍は、市民を巻き込んだ国民的テーマとしての面目躍如だろう。

もっともその萌芽は、註に倭人伝の記事を付し、卑弥呼と神功皇后との関係をにおわせた『日本書紀』の神功紀にまでさかのぼるわけだから（この割註が編纂時のものか、後世に加えられたものかについては議論があるが）、邪馬台国論争は千年以上の歴史を誇ると言ってよい。

ここまでやれば、いい加減、決着が着いてもよさそうなものだが、学界の外まで裾野が広がった状況は、もはやそれを許さない。九州説と近畿説、両者がっぷり四つの膠着状態がさらに拍車をかけて、いやが上にもロマンと闘争心、探求心をかき立てる。それでは自分も、ひとつ、どちらかに参戦してみようか。自分自身の手で謎解きをしてみたらどうだろう。多くの人々が、そう思うのも無理はない。

それに、「魏志倭人伝」というテキスト自体、なかなか劇的だ。たった二〇〇〇余字に過ぎないのに他の外蕃伝と比べれば異常なほど情報量が多く、議論百出の舞台を用意する。しかも邪馬台国と敵対する狗奴国、卑弥呼と卑弥弓呼、と役者がそろっている。牽制し合う魏と呉の代理戦争という見方もあるから、もう、出来過ぎである。

源平の争いから今日の二大政党論まで、二大勢力の対峙というものは論点が非常にわかりやすく、旗幟鮮明だ。あっちつかず、こっちつかず、という曖昧な状況はない。単純であるがゆえに、やろうと思えばすべてに対立軸が生まれる。要するに、与しやすいのだ。

つまり邪馬台国論争は、アカデミズム的な内容を大衆運動に転化させる資質を十分に備えていた。九州と近畿、東京大学と京都大学、そして後述するアカデミズムと在野。あらゆるファクターが、対立する二者に収斂するではないか。否、意図的に収斂させることができるのだ。しかもそれはご丁寧なことに、入れ子状。一口に京都大学系の研究者で「卑弥呼の鏡」の解釈ひとつとっても、小林行雄と樋口隆康両氏の見方はまるで違うのだから。

人間というものは、より単純で刺激的な図式を描こうとするものらしく、東京の邪馬台国ファンに九州説信奉者が多いのも、アンチ関西、敵の敵は味方、という意識が無関係ではなさそうだ。その意味では、将棋や囲碁のように、知的ゲームを盤上で繰り広げるのにもってこいの条件を備えており、その娯楽的要素は、さらに格闘技や野球、サッカーなど、二手に分かれて競い合うスポーツ観戦の楽しみとも共通する、とは言い過ぎか。少なくとも邪馬台国論争とは、人間が持つ知的欲求を満たしてくれる絶好の素材なのである。

そういえば、考古学者の佐原真氏は、この手のシンポジウムの司会をするとき、会場に質問していた。「邪馬台国が九州にあると思う方」「近畿だと思う人」などと呼びかけて、拍手や挙手をさせていた記憶がある。「私は、どこにあったかは興味ない」などと公言していた佐原さんだけれど、シンポでのパフォーマンスは、身近な考古学を目指した彼流のサービス精神だったのだろう。それがディスカッションをより白熱させることを、彼はよく知っていた。

「二項対立」は、アカデミズムとそれに対する在野の歴史愛好家、つまり論じる側の対立という類似構図も生んだ。もちろん、徹底的な無視、他人の意見など意に介さない孤高を装う態度、歯に衣着せぬ反発などなど、論者によって受け止め方は様々だが、プロに対するアマチュアの、むき出しの闘争心も目立つ。と言っても、両者が徹底して論を戦わせる姿はほとんど見ない。シンポジウムでも多くは名の通った研究者ばかりだし、落ち着く先も大方、予想がつく。もし、これがアマチュア愛好家を含めてパネリスト自薦他薦の自由参加だったら、きっと収集のつかない状況に陥るだろうし、結論なんか出るわけがない。

プロとアマチュアの問題はのちに譲るが、邪馬台国論争の随所に見られるこの「二項対立」は、論争を存続させるために意図的に再生産され続ける、すぐれて人工的な作為なのではあるまいか。特にアマチュアにとっては、プロへの対決姿勢を鮮明にすることこそが、自らの存在意義を自覚する手段になっているようにも見える。既存の説に反駁し、いかに自説を印象づけるかのみに苦心した論調も少なくない。それは決して学問本来の姿ではないけれど、是非は別にして、これもまた、邪馬台国論争ならではの味わいではある。仮想敵国を意識的に設定し、論破しようと努力する。それが一定の満足感を満たすとき、論者は溜飲を下げ、至上の喜びを見いだすのかもしれない。

「多項並立」の展開

しかし、と、みなさんは思うだろう。

実際は、邪馬台国の推定所在地など「二項対立」どころか、それに興味を持つ人の数だけ存在する。九州、近畿はむろんのこと、北は北海道から南は沖縄まで。はては東南アジア、エジプトなんて外国さえあり、それぞれが独自の論理を凝らす。正確な数はとても把握できないが、めぼしいものだけでも六〇カ所はあるらしい（岡本健一『邪馬台国論争』、一九九五年）。思いつき程度のものまで含めれば、その数ははるかに上回るだろう。まさに、「話題期あるいは商品化期」（三品彰英『邪馬台国研究総覧』、一九七〇年）の到来である。が、これらはただ、候補地として「ある」だけ。ほとんどの場合、「対立」あるいは相互に関連さえしていないのだ。

「ついに解けた！」のたぐいのフレーズが、本の帯や広告に踊るのをときおり見かける。そう、提唱者には解けている。でも、それは誰もが認めるものではない。すべてが納得すれば「邪馬台国本」が次々と生まれてくるはずがないし、そもそも論争など存在しない。田中琢氏は、多くの人の倭人伝読み解きへの努力を「検証」ではなく「説得」と呼んだが（「倭の奴国から女王国へ」『岩波講座　日本通史』二、一九九三年）、もはや、その「説得」さえ言いっぱなしの状態で、十分に吟味されているとは言えないようである。

邪馬台国論争は、多くの人々の参戦を可能にした「二項対立」の時代から、「われこそは正当な倭人伝の読解法である」と主張してやまない無数の説、その多くが他人からは珍奇に見えるとしても、唯我独尊、我田引水の論理が乱立する、いわば「多項並立」の時代に突入した。数打てば当たる式に、そのなかから、なるほど、と思える説が生まれても一向におかしくないが、それを共有する情報交換の場が十分用意されているとは言い難い。その意味では、もはや「論争」の体をなしていないのが現実ではないか。

隙あらばそれぞれが天下をねらった群雄割拠の戦国時代を思わせるが、戦国大名と大きく違うのは、異説同士がお互いをねじ伏せ合うような「説得」さえ、それほど目立たないことだろうか。論を戦わせる場が限られるというより、むしろ、ひとつひとつの説が、その状況に安住し満足しているかに見える。林立状態のなかで、他説を駆逐し、優劣を明確にさせる作業は、すでに意味を失ったのだろう。現在の邪馬台国論争にとって、かつて白鳥と内藤が繰り広げたような議論の応酬は、もはや不要なのだ。

論戦による成果の結実は、学問の進捗の原動力になる。よりコンセンサスを得られた多数意見が少数意見を呑み込み、いわゆる「通説」になってゆく。むろん、それが内容的に正しいかどうかはおいても、専門家が合理性をより認める見解が幹となっていく。「通説」とはそういうものだ。

異説の対峙過程では、建設的な融合と譲歩も大いにあり得るだろう。A説とB説があったら、両者が止揚されてCという説ができる場合も当然あるし、どちらかが詭弁やレトリックを駆使して相手を屈服させることもある。方法論的な是非はともかく、ひとつの結論の構築をめざす建設的な学術的作業であることには違いない。

ところが、邪馬台国論争には、他人の優れた見解で補完しながら、より合理的な自説を強固に造り上げたいというモチベーションというか、持説の発展意欲というか、そんな意識がどうも薄い。むしろ前述のように、あえてこのプロセスを誰もが避けている節があるように感じる。自らの説に固執すれば、水掛け論になる。いや、水掛け論になっていなければ、自説を生きながらえさせることはできない。そんな無批判の正当化が暗黙の了承になっているのではないのか。

論争を終結させるのは「魏志倭人伝」ではなく、もはや考古学的な新知見しかないとの声をよく聞く。けれど、疑う余地のない事実であるはずの考古学的資料も、論争が絡むと恣意的な解釈が横行する。考古資料が現れれば現れるほどゴールは遠のく、という悪循環に陥りかねない。そこでは、考古学的成果は選択されるべき対象なのであり、輝くがごとき自説に傷をつけてしまいかねないものなら即座に切り捨てられる。

無数の説が併存するということは、そのなかのひとつである自説の信憑性が相対的に低下するということだ。

「私の説は万全、のはずだ。しかし、突っ込まれるところがないと言い切れるだろうか。そんなことはない。いや、でも、ひょっとしたら……」

論者はみな、そんな不安を薄々抱えているのかもしれない。それが、同じ土俵上での討論への歩みを躊躇させる理由のひとつなのだろう。

邪馬台国論争には「二項対立」の構図が横たわると述べた。白鳥と内藤の熾烈な論争も、たとえ当時のきな臭い社会情勢や時代背景が絡んでいたとしても、少なくとも結論を求めた学術論争であった。では、現在の「多項並立」は、どうまとめることができるだろうか。

私なりに解釈すれば、無数の異説があったとしても、自説に対してそれらは「その他大勢」にまとめられる点で、なるほど「二項」であり、共通のテーブルがないために無数の説が撤回する機会さえ提供されず、いつまでも検証されることなく漂い続ける意味で、「消極的な対立」と言える。ひとつひとつの学説は、批判がたとえ多くても、現実的にはお互いの接触を避けながら孤立したままであり、「自分も学説を立てたのだ」という、論者ひとり一人の自己満足と安堵感で終わる。むしろ自説を他人には触れられたくない、矛盾や不備を指摘されたくない、でも、みんなには知って欲しい、という、なんとも複雑で情緒的なジレンマが横たわっている。それが本来の論争とは似て非なるものにしている。もしそうなら、閉鎖的な自己満足に学問の進歩は望めない。

では、邪馬台国論争の大衆化がもたらしたものは混乱だけだったのか。確かにその浸透と活況は、表現の自由と引き替えに神話・伝説との安直な結合傾向を生み、かつての思想統制の苦い経験を呼び起こして、学界からの警鐘を招くことになった。たとえば、様々な形をとって現れた東遷説がそうだ。研究者によっては、それを過去の悪夢の再来ととらえる向きもあるだろう。しかし一方で、これを戦後の知識層に広がった皇国史観への、過度のアレルギーをこじ開ける役割を果たしたととらえ、評価する見方があるかもしれない。

東遷説といえば、神武東征や皇国史観を刷り込む軍国時代の洗脳手段としてタブー視されてきた。厳しい史料批判で知られた津田左右吉にも、邪馬台国論争に対しては積極的ではなかったとはいえ、東遷をにおわせる部分があるという。だが、いま現在、世間に流布する東遷説は実に多様で、しっかりとした蓄積と認識に組み立てられたものもあれば、それまでの研究史への理解を欠落させたものもあるし、神話との単なる折衷案にすぎないものもある。戦前・戦中の歴史学への反省と自己批判は徹底した皇国史観の排除を要求したが、それへの感情的な反発もあるだろうし、学界がためらう神話との結合を、アマチュアがアカデミズムに切り込むための、またとない武器にしている場合もあるだろう。いずれにせよ、杓子定規に東遷説を過去の亡霊として片づけるわけにはいかなくなっているのではあるまいか。

思想や文化の移動が当たり前ならば、西から東への伝播、さらに限定して、この時期に北部九州から近畿への何らかの流れがあったとしても一向に差し支えないし、むしろ邪馬台国時代や大和政権成立期の一局相のみを除外する方が不自然に感じる。森浩一氏は、邪馬台国が九州にあったという前提に成り立つ東遷には慎重ながら、その不可能な理由を実証的に説明することなく、ひたすら無条件に忌避する態度には批判的だった（「ヤマト古墳文化の成立」『日本の古代　五　前方後円墳の世紀』、一九八六年）。

東遷説への評価は人によって様々だし、一歩間違えば、あの危険な思想との結合が頭をもたげてくる可能性を常にはらむのは、いまさら言うまでもない。が、それを十分に理解したうえで、斬新でまっさらな新説が生まれる、という開き直りがあってもよいようにも思う。それは思想界の揺り戻し現象ととらえることもできるし、閉塞状態を切り開くカンフル剤になるかもしれない。考古学上でも初期古墳を構成する諸要素の分析などから、卑弥呼を共立したのは大和のみならず、北部九州や出雲、吉備などの勢力だったとする見解が出てきた。これなど、神話やイデオロギーとは無縁の、実証的な東遷説、邪馬台国の構成要素の東漸、と見なせないこともない。

たった二〇〇〇字ほどの「魏志倭人伝」。まともな解釈は出尽くした、とも言われる。それでも、論争への参入が続けば、新たな視点からのアプローチが出てくるのは必然だ。数式を多用したり、複雑な統計を援用したり、続々と解読のための手法が〝開発〟されている。

一方で、特定の所在地に有利に導くために生まれた恣意的な理屈もあるし、それを理解できる者はその手法を編み出した者しかいない、という場合も多い。他人といかに違う説を立てて悦に浸るか、いかに奇をてらって他人の目を引くか、ということのみに主眼が置かれるならば、やはり本末転倒だ。帰納法的な手続きであれ、あるいは演繹的に欠かせない実証作業であれ、立論のための必要不可欠なプロセスが欠落すれば、それは独りよがりの論理に過ぎないし、邪馬台国への道を自ら閉ざすことになりかねない。

すれ違うプロとアマチュア

邪馬台国論争が不幸だったのは、その大衆化を純粋な学術論争にまで昇華させることができなかった点にあると思う。すなわち、論争がポピュラーになればなるほど学界が手を出したがらない、語弊を恐れずに言えば「邪馬台国なんて専門家がやるものではない」という風潮ができてしまったことではないか。

専門雑誌や論文集で邪馬台国を真っ向から取り上げた硬派な論考はあまり見かけない。学者にとって邪馬台国はあくまで一般書扱いである。その名を冠したシンポジウムは山ほどあるが、結局は市井の歴史ファンが相手。アカデミズム内の各学会や研究会でテーマになることは、ほとんどないのが実情だろう。

邪馬台国に対して、少なからぬ研究者たちにシニカルな態度が見え隠れするのは否定できまい。専門家としての堅実さにケチをつけているわけではないけれど、誰もが手を出せるようなものは学問の対象ではない、といった雰囲気があるとすれば、いただけない。なにか侮蔑的なニュアンス、傍観者のような口調、「自分の専門は別にあるけれど、社会貢献のためなら、シンポジウムなどにも協力はするけどね」といった空気、もし積極的に関与すれば学者として軽く見られてしまうような、手を出してしまえば研究者失格のような感情、でも、それを表に出すのも気恥ずかしいし……それにしても、邪馬台国は、専門家が本腰を入れるには、あまりにもメジャーになりすぎた、と。そんな複雑な心理がないと言い切れるだろうか。

もちろん、倭国の形成をめぐる議論に、邪馬台国が避けて通れない重要課題であるのは間違いないから、真剣に向き合う研究者もいる。が、戦後、そこにまとわりついてしまった「素人でも扱える対象」というイメージは邪馬台国研究を軽んじる風潮を生み、本質的な議論を遠ざけた。頻繁に行われるシンポジウムも、客寄せパンダ的なイベントに陥ってしまった感がある。論争の大衆化がアカデミズムの敬遠を招き、専門家の忌避という結果を導いたとしたら、これほど悲しいことはない。

一方、在野の研究者やアマチュア歴史愛好家、作家たちは、そんなエアポケットをねらった、と言って失礼ならば、学界が久しく躊躇しがちだった空白地帯に切り込んだ、とみることもできる。「邪馬台国好き」が在野に多いのは、アカデミズムへの反発やコンプレックスに端を発している場合もあるだろうが、彼らが学界の「一般常識」に縛られない自由な立場にあることも大きな要因だろう。

アマチュアは学界と違って情報発信や発表の場が限られるから、自分の言い分をなけなしのお金を使って自費出版したり、仲間同士で研究会を開いたり、同人誌を出したりするしかない（最近はネット上での発信も盛んだが）。しかし、その活動ぶりは実にエネルギッシュだ。多くの人が参戦すればするほど雪だるま式に加速し、多彩な活動を生み出しているのである。

ただ、無制限にふくれあがった論考の数々は、前述のような孤立性を前面に押し出す限り、誰をも納得させる、厳しく絞り込まれた帰結を許さない。市民に開かれ、最も関心を集めるテーマであるがゆえに、数々の有益な論点を集約し、建設的にまとめあげる作業を難しいものにしている。そんな皮肉な状況が邪馬台国論争の直面する現実なのではないだろうか。

オーソライズされた学界と在野の研究者の、場合によっては感情的なまでの確執と無視があることも首肯せざるを得ない。アマチュア歴史愛好家の参入は大いに歓迎すべきであるけれど、一方で、それがアカデミズムの等閑視を誘い、お互いに壁を造ってしまったとすれば、残念ながら、あまりにも多くの思考の蓄積が無駄になっているように思う。

邪馬台国論争は、資料の少なさや内容の難しさから延々と継続しているのではない。前述のように、終結のない「論争」であり続けること自体が、邪馬台国ファンにとっての自己存在のよりどころになっている。要するに、邪馬台国論争とは、それぞれがきわめて閉じた世界に立脚する、没交渉の「論争めいたもの」と言ってもよいのではあるまいか。

邪馬台国論争の大衆化は、知識層の拡大にともなう自然な流れだった。それは戦前まで学界での問題であり、庶民の手の届く対象ではなかった。江戸期から東京、京都両帝大の論争に至るまで一部エリートによる純学問上のテーマであり、閉じたアカデミズム内での論争のひとつであった。

それゆえ、市民の預かり知らぬところで、あるときは皇国史観の世相醸成に利用され、あるときはアジア植民地主義の根拠とされた。邪馬台国論争が近代日本の歩みと軌を一にし、韓国併合や中国への侵略、あるいは天皇制の盤石化や民族主義と不即不離の関係にあったことは、歴史地理学の千田稔氏（『邪馬台国と近代日本』、二〇〇〇年）や日本近代史の小路田泰直氏（『「邪馬台国」と日本人』、二〇〇一年）らが明らかにしているところである。敗戦後、民主国家の成立のなかで、これに対する批判の火の手が上がったのも当然のことだ。千田氏は前掲書のなかで、こう述べる。

「戦後、古代史が自由な場に解放されたとき、研究者以外の人々にも、大和の神武天皇という束縛からの解放となった。歴史的厳密性はともかくも、『国の始まりは卑弥呼の邪馬台国』という、『事実』への期待として人々の『日本史』の書き換え作業がはじまった」。

やがて宮崎康平が『まぼろしの邪馬台国』を著し、松本清張や黒岩重吾ら作家の参入が論争の拡大に拍車をかけた。松本氏の短編「陸行水行」に代表されるがごとく、それら在野の活躍には、多かれ少なかれアカデミズムへの不信感が貫かれているように思う。それは、犯さざるべきものとして常に神聖視されてきた「正史」と中央政権絶対主義の崩壊とともにあふれ出たうねりだった。

そんな過程に鑑みれば、在野と学界との垣根をなくすことがそう簡単ではないのは理解できる。新たな方向性を模索していたはずの学界も在野に自ら歩み寄ることは少なかっただろうし、在野の研究者もまた、権威主義への批判によって自己の座標を確認する手段として邪馬台国論争を利用した場合もあったのではないか。

さらには、皇国史観から解放されたはずの現在に至ってもなお神話や天皇家の出自が重要視され、論の骨格となっている例が少なくない。無数に林立する邪馬台国は、古代国家の起源をめぐる新たな争奪戦のツールとなっているようだ。小路田氏は前掲書のなかで、戦後歴史学は皇国史観の徹底的な克服に躊躇したがために、歴史学において、結局は、戦前と戦後が連続することになったと指摘する。「皇国史観」は今なお、人々のレゾンデートルを規定する重要な要因として、形を変えながら生き続けているのかもしれない。

郷土愛発露の装置として

邪馬台国と切り離せないのが郷土愛との関係だ。邪馬台国論争は、とらえようによっては、地域ナショナリズムの発露と高揚を促す絶好の装置といえる。

郷土への愛着は、地域再生への鍵になる。ことに、その地その地に根ざす歴史は、活力のバックグラウンドとして精神的な柱となり、地域振興や観光などあらゆる場面で、誇らしげに我が町の歩みが語られる。なかでも邪馬台国へのまなざしは熱い。知名度は抜群、壮大なロマンにあふれ、しかも遠い二〇〇〇年近くも昔の話で謎が多く、所在地も確定していないのだから、どの地域でも邪馬台国への夢を語ることができる。自分の愛着ある地に引き寄せ、感情移入しながら論じることができるわけだ。

実際、全国各地に点在する邪馬台国候補地のお膝元では、在住の郷土史ファンをはじめとした市民、場合によっては自治体も組織的に巻き込んで、活発に「誘致活動」が展開されている。「邪馬台国のふるさと」とか「卑弥呼の里」といった看板やパンフレットがあちこちにあるし、「ミス卑弥呼」コンテストが恒例イベントになっているところもある。苦笑せざるを得ないものも少なくないが、ご愛敬だろう。

地域は、その個性や独自性が〝売り〟。けれど、対外的なインパクトに欠ける場合も多く、「名産品」の創出とPRに四苦八苦しているのが現実だ。その点、郷土の歴史を活かした町づくり、ことに邪馬台国とか卑弥呼は誰もが知る共通基盤を持った素材だから、うまく使えば、またとない観光産業の、さらには地域社会活性化の起爆剤になりうる。その結果、あちこちで過度の期待が増大することになった。

邪馬台国への羨望は、中央と地方との格差の拡大、衰退する地域社会の焦りを反映しているとも言えよう。都市部への人口集中は地方の相対的な地位の低下をもたらし、そこに住む人々にコンプレックスを植え付ける。そのはけ口が近視眼的な地域ナショナリズムへと向かう。近年問題化している地域間格差は、なにも物質面ばかりでなく、精神的にも人々の心をもてあそんでいる。ある意味で、邪馬台国論争も無関係ではないのだ。

戦前と近年を比較したとき、九州と近畿の対決構図に内容面での大きな相違が認められる。かつて一部の九州説には、本居宣長以来の国学的側面、すなわち皇国史観的イデオロギーも絡んで近畿の先進性、重要性が前提となり、邪馬台国を皇室と切り離すために、九州説はスケープゴート的に論じられる傾向が少なからずあった。いわば、大和政権の尊厳を保ちながら倭人伝や神功紀の註を整合させる方便として、九州と邪馬台国が不当におとしめられていた感がある。

ところが、皇国史観からの解放とともに郷土の歴史が見直され、その高揚にともなって各地で邪馬台国が取り込まれ始めた。九州では天孫降臨や神武東征ゆかりの地としての誇りも燃え上がった。つまり、ネガティヴな面さえあった一部の「消極的九州説」が、歴史の一元的アプローチから多元的拡大に変化する過程で、よりポジティヴな「積極的九州説」にすり替わっていったと言える。同じ九州説でも、戦前と戦後とでは似て非なるものであり、ひょっとしたら、それが新たな東遷説形成の伏線となっていったのかもしれない。

そして、当然のことながら、邪馬台国を軸とした郷土史復権の動きは九州のみならず、全国に敷衍できる。それは、各地に点在するおびただしい邪馬台国候補地の出現が証明している。それぞれのご当地には、古代においては我が郷土が「中央」あるいは「中央」のひとつ、そうでなくとも「中央」に匹敵する先進地であったと信じたい、そんな願望がくすぶっているはずだ。しかし、古墳時代以降、中心が近畿地方にあったのは明らかな事実。どんなに歯ぎしりしても、これは曲げられない。だから、その直前の邪馬台国がクローズアップされるとともに、その後は中心地の大和地方と密接なつながりがあったことを証明したい、との心理が働く。弘法大師や源義経、平家の落人伝説など古今の貴種流離譚はこのたぐいだろう。

一方でそれが果たせない場合、反動として、我が郷土は「中央」とは一線を画する独自の文化を築いていた、というアンチ中央集権主義が噴き出すことになる。ふるさとを愛せば愛すほど、人はその優秀性を実証したいという思いに駆られ、競争意識が動きだす。そして、他者より優れた部分をたくさん発見することに苦心する。そのよりどころとして手頃なテーマが、いまだ所在地の揺れ動く邪馬台国という存在なのである。

いかにして邪馬台国に関連づけることができるか。九州であれば近畿にない独自性、先進性の再発見を、近畿説だったら、より強固な大和政権との連続性を、それぞれ主張する。それは全国各地の候補地も例外でなく、羨望とコンプレックス、屈折した反発心の入り交じる感情が、多かれ少なかれ見え隠れする。

自らの住む地域に誇りを持つのはよいことだ。だが、その矛先が他地域との優劣関係に向けられたとき、それが誇大な思いこみや排他主義につながり、バランス感覚をなくした狭隘なナショナリズムを生む。郷土愛の発露とはしばしば相対的なもので、比較するべき条件が整っていなければ自らの立ち位置と上下関係を確認することはできない。けれど、そんな尺度などありはしないし、そもそも郷土愛が絡んできた時点で、客観的な評価など不可能だろう。

それでも邪馬台国は幻想を抱かせる。なぜなら、共通認識としての基盤が浸透し、比較するうえでの要素が一応そろっているからだ。しかも、地域ごとに勝手な相対化が可能、換言すれば、それは自由な絶対化である。だから、誰もが邪馬台国や卑弥呼と地元との関連を、重箱の隅をつつくように探し回り、なんとか共通点を見つけ出そうと腐心する。郷土愛の発動は、多くの可能性を秘める邪馬台国へ邪馬台国へと収斂していき、表面的な「発見」に一喜一憂することになる。世の中に邪馬台国像が無数に存在する理由は、こんなところにもあるように思う。

マスコミと邪馬台国

最後にマスコミの対応を見てみよう。しばしばマスコミは、邪馬台国を必要以上に煽りすぎるとの批判を受ける。が、マスコミにもそれなりに言い分がある。

メディアは国際情勢から政局、事件、話題モノ、スポーツなど森羅万象を一様に扱う。考古学や発掘成果の報道はその一つに過ぎない。特にニュース面といわれる一面や社会面の場合、膨大な記事があるのにスペースは限られているから、記者たちはその確保にしのぎを削る。いきおい内容を過大評価し、フライング気味になってしまうこともある。

弥生時代あるいは古墳時代初期の発掘報道があったとき、マスコミはまず、何を考えるか。邪馬台国と関係するか、であろう。誰もが知っていて、「それに関係するのなら」と認められるための有効なアイテム、読者への強力なアイ・キャッチ、それが「邪馬台国」なのである。見出しにこの四文字が躍れば、扱いはぐっとよくなる。原稿を執筆した記者にとって、それで記事が大きく扱われればそれにこしたことはないから、ついつい、あるいは無理にでも邪馬台国と付会させたがる。多少不自然でも嘘ではない、と言い訳しながら。

つまり、全部とはいわないが、記事化の過程で意識的、無意識的に、邪馬台国への強引なこじつけがないとは言えないし、むしろ積極的に邪馬台国に絡ませる場合も多いのだ。たとえば奈良の纏向遺跡などは、「邪馬台国の有力候補地である」といった文言を枕詞にするのが当たり前になってしまった。

加えて、前述した「九州説VS近畿説」の二項対立も堂々と生きながらえている。生きながらえさせているという方が、より正確だろうか。この単純な構図は、ゲーム感覚のおもしろさで読者を引きつけるから、なかなかやめられない。吉野ヶ里遺跡と唐古・鍵遺跡の報道は、それを如実に物語っていた。

一九八九年、佐賀県に吉野ヶ里遺跡が彗星のごとく現れた。南内郭の巨大環濠集落には見張り台らしき出っ張りがあって、いかにも城塞風だ。ならば、倭人伝の「楼観」があってもいいじゃないか。不思議な形の北内郭と総柱建物跡に、「宮室」や鬼道を操った卑弥呼が祈る姿を思い浮かべる人々がいても一向におかしくない。メディアスクラムともいえる苛烈な報道合戦でボルテージは高まり、社会の関心は頂点に達した。

研究者の口をついて出た、「吉野ヶ里の物見櫓から邪馬台国が見える」という名言も、キャッチフレーズとして抜群だった。正確に言えば、吉野ヶ里遺跡を調査すれば、邪馬台国時代を含む弥生のクニグニや社会構造の一端が見えるかもしれない、というほどの意味なのだろうが、言葉とは独り歩き

「魏志倭人伝」のクニを彷彿させる大規模環濠集落、吉野ヶ里遺跡
(佐賀県神埼市・吉野ヶ里町)

するものだ。新聞においても、長い原稿をわずかな文字に凝縮した、記事の究極の形態ともいうべき「見出し」に採用されれば、たちまち「邪馬台国＝吉野ヶ里遺跡」との印象を与えてしまう。遺跡の保存も見据えて、研究者にも打算的な意図がなかったとは言い切れないだろう。

吉野ヶ里遺跡の登場で勢いづいた九州説に負けてはいられないとばかりに、近畿勢の巻き返し（？）が始まった。一九九二年春、奈良県田原本町の唐古・鍵遺跡で、楼閣の絵画土器片が見つかった。なんだか積み木細工みたいで、ひょろっと高くてアンバランス。過度にデフォルメされているのだろうか。屋根の上の曲線は鳥なのか雲なのか。渦巻き状の棟飾りらしき文様もあって、なんとなく中国風に見えないこともない。そういえば、中国の地を踏んで実際に見ていたから描けた、あるいはその記憶をたどって描いた、との見解もあった。

この絵を忠実に復元して、唐古池のほとりに奇妙な建物がぽつんと建った。失礼ながら、本当にこんなものがあったのだろうか、と思えてくる。まあ、吉野ヶ里遺跡の復元建物群も、似たようなものなのかもしれないけれど。

とにかく、この絵画土器の出土で、新聞は騒いだ。「建築史を塗り替える」とか「（邪馬台国の）大和か九州かをめぐる位置推定にも新たな手がかりになる」とか「『邪馬台国論争決着』の資料になる」といった文言が躍った。この発見で焦る吉野ヶ里遺跡関係者をルポした長行の記事もあった。

様々な可能性や想像を総動員して報道上の邪馬台国像は作り出される。専門家は首をかしげても、一般読者が興味を示し、納得すれば、読者の視点でわかりやすく報じるためというマスコミの大義名分は成り立つ。それが時にミスリードだと非難されるにもかかわらず、この手の紋切り型の報道が続く理由である。

吉野ヶ里遺跡は戦前から報告されてきた、その筋では古くから有名な遺跡だったたし、弥生時代早期から古墳時代、さらには古代まで続く、なにも邪馬台国時代のみに限った遺跡ではないから、報道が偏重していると言われれば返す言葉もない。弥生時代に限っても、有名な北墳丘墓など中期前半なので、卑弥呼の時代とはまったく違う。

唐古・鍵遺跡にしても、別に邪馬台国に絡ませなくとも弥生の編年にとって記念碑的存在であるのは、ご存じの通り。隣接する清水風遺跡とともに膨大な絵画土器が出土してきたし、なるほど楼閣は変わったモチーフでおもしろい。が、それがどうして「邪馬台国の楼閣」になってしまうのか。楼閣

唐古・鍵遺跡（奈良県田原本町）出土の土器に描かれた「楼閣」

絵画土器をもとに復元された建物

は邪馬台国にしかなかった、という証明など、どこにもないのに。

そこに記者、新聞社の理屈がある。邪馬台国と関連するかもしれないし、関連しないかもしれない。ならば、関連する可能性に光を当ててみよう。邪馬台国は、そんな選択肢のひとつなのだ。

なぜマスコミは、学界がよく吟味した段階で、あるいは報告書が出されるのを待って報道しないのか、と怒られることがある。たとえば、国立歴史民俗博物館による弥生時代開始年代の遡上案がそうだった。二〇〇三年に歴博が文部科学省記者クラブで会見した内容が、その直後の日本考古学協会総会などで大変な混乱を巻き起こし、批判の矛先はメディア各社にも向けられた。反論も多い重大な問題なのに、歴博の言い分のみを垂れ流すとは何事か、というわけだ。

学界が憤るのも理解できないわけではない。ただ、マスコミは真理や正義のみを報じるのではない。日々の現象、出来事を報じるのである。語弊を恐れずに言えば、マスコミにとって研究史や詳細な検討過程は、ほとんど意味を持たない。それに割くだけのスペースも時間もない。重要なのは、いま現在の反応である。これが報道の信頼性を左右するかどうか意見が分かれるところだけれど、良くも悪くもこのマスコミの刹那性が、日々更新される生の記録を残してきたのは事実だ。だからこそ、新聞をはじめとした活字メディアは同時代史料として有用となり、後世への検討材料を提供しうるのである。

長い熟成のうえに結晶する報告書の考察や、何年も賛否両論を戦わせてようやくコンセンサスが得られる学界の結論と、速報性が重視されるマスコミ報道とは、根本的に立場や価値観が違う。文化面などの専門欄はともかく、一面や社会面のニュース記事では、速報と対極にある学術的な蓄積と経過は切り捨てざるを得ないところに、学術記事の難しさと、この矛盾から逃れられない宿命がある。

おわりに

書店を訪れれば、邪馬台国とか卑弥呼の名を冠した書物がずらりと並ぶ。気むずかしい学問はイヤだけれど、これなら読めるかもしれない。ちょっとアカデミックな世界にふれてみようか。邪馬台国には、そんな親しみやすさがある。だが、一般の市民と研究者との間に、アプローチの違いや意識上の乖離があるのは前述の通りだ。

「九州でも近畿でも、私としてはどちらでもいい」。少なからぬ研究者から、こんな言葉を聞く。なるほど、あまたある論考には、荒唐無稽なものや思いつきに毛の生えた程度のものも少なくない。かつて三品彰英氏が指弾したように、「いたずらに新説を誇る時は過ぎた」(『邪馬台国研究総覧』、一九七〇年)のかもしれない。もはや収拾のつかなくなった邪馬台国論争(一部には終結していると主張する人もいるけれど)を不毛だと簡単に切り捨てるのは簡単だが、傍観者を決め込んでばかりもいられないだろう。

邪馬台国がどこにあったかは、当時の日本列島内の中心勢力がどれだけの統率力、支配力を擁していたか、ひいてはそれを可能にさせるだけの社会構造に達していたかどうか、にかかわってくる。近畿なのか、九州なのか、それとも、そのどちらでもない第三の場所なのか。古代史像を大きく左右する所在地論は、古代王権の成立に直結するきわめて重要な論点であり、「どこでも構わない」では学問は進展しない。

確かに、邪馬台国には謎が多すぎる。しかし視点を変えて、この論争をひとつの知的社会現象としてとらえるならば、そこには、また違った意義が見えてくるに違いない。

考古学ジャーナリズムの功罪

複数の事例をもとにしたメディアからの文化財報道試論

『比較考古学の新地平』（同成社、二〇一〇年）

新聞をはじめとした各種メディアは、世の中の森羅万象を扱う。考古学の進展や発掘調査の成果もまた、その対象に含まれる。人文科学の一分野である考古学と現代社会は、いまや切り離せない。両者間に介在するメディアは、学問の世界と実社会をつなぐ役割を担っている。学術成果の社会還元が求められる昨今、考古学報道の重要度は増していると言えよう。

メディアは多様化し、新聞や書籍などの活字媒体からテレビやラジオ、さらにはインターネットまで、拡大を続けている。なるべくコンパクトに抑えた報道から、ある程度の分析を交えた解説記事、あるいはいくつかの事象を組み合わせながら独自の視点で再構成した記事など、メディアの形態差によるスタイルの違いも顕著になってきた。と同時に、記者の発信能力の限界や制度疲労とでも言うべきシステム上の行き詰まりも噴出し始めているように思う。

こと考古学に焦点を合わせてみれば、その多岐にわたる膨大な学問の世界を、逐一かつ網羅的に紹介していくなど物理的に不可能であり、マスコミの手による取捨選択と整理は避けられない。その結果、そこには必ず恣意性が生まれる。それは発信元の自治体や学界にも当てはまることだが、割合はメディア側が圧倒的に大きい。だからこそ正確な理解と慎重な吟味が重視されるわけだが、現実には十分な対応がなされているとは言い難い。

学界や行政とマスコミとの価値観の違いも表面化している。たとえ学界にとってきわめて重要な成果であっても、一般市民の関心事ではないとメディアが判断した場合、両者の評価には避けがたい齟齬が生じる。考古学とジャーナリズムとの建設的な信頼関係の構築には、発信する側と伝える側、そして受け取る側、つまり自治体や学界、メディア、市民という三者の価値観が必ずしも一致しないことを十分に理解し、情報の伝達過程に数々のゆがみが存在することを自覚する必要がある。

そのゆがみとは具体的に何なのか。考古学ジャーナリズムはどうあらねばならないのか。ここでは、今後の埋蔵文化財報道のあり方を見極めることを目的に、旧石器遺跡捏造事件や邪馬台国報道などの事例を引きながら、考古学ジャーナリズムが抱える課題と功罪の析出を試みる。

考古学の社会性と発掘報道の特殊性

埋蔵文化財報道、とりわけ新たな発見に基づく速報的な発掘報道には多くの関心が寄せられる。毎日とは言わないまでも新聞には多くの関連記事があふれ、写真がよければ大きく紙面を飾る。政局の混迷や経済の悪化、凶悪事件の発生など、とかく暗い話題が多いなかで、それは読者の知性をくすぐる一服の清涼剤になっている。

新聞はその性格から、基本的に市民の社会生活に直結する事象を扱う。学術記事も例外ではない。なかでも考古学は、その他諸々の学問と比べて読者の注目度が高い。したがってメディアに登場する頻度も必然的に高くなる。そこには、「モノが発見される」という「事件」的な性質が作用している。加えて、学問とは無縁と思われがちな法的社会規制、具体的に言えば、文化財保護法下における開発に伴う緊急発掘の義務や原因者負担の原則が存在することは、社会活動との不可分な関係を示唆しているのであり、それは自治体が抱える専門職員の多さにも反映されている。このような数々の世俗性が、学問としての考古学をひとつの社会現象へと昇華させていると言えよう。

もちろん他の分野、たとえば臨床的な医学や薬学も法律と連動しながら実社会に深く根ざすものであるし、経済学や法学などの実学系の学問が現在の資本主義社会や法治国家の土台を支えているのは言うまでもない。一見、一般社会と乖離しているかに見える化学や工学の研究成果も新製品の開発など日常生活に密着しており、多かれ少なかれ社会に還元する形で報道されている。だが、ややもすれば趣味と教養の世界と見られがちな人文科学の考古学には、それ以上の特殊性がある。すなわち、前述の社会的要素に加え、「夢とロマン」という嗜好性、知的好奇心を充足させるための純学問的な魅力を兼ね備えており、さらには、喪失感や閉塞感の漂う現代において個々の生活や人生を充実させる精神的な糧としての有効性をも包括する。それが市民に関心を喚起させる理由のひとつであろう。

近年、文化財学とか遺跡学といった名称をよく見かけるようになった。それらが、単に保存科学や社会学をはじめとした関連諸科学を考古学に付加したものなのか、それとも逆なのか、考古学の延長上で発展的に発生したものなのか、いまひとつ明確でない気もするが、いずれにしても実社会の動きに連動した強い意思が生み出した分野なのは確かである。すぐれて行政的な埋蔵文化財が「現実社会と切りむすぶ研究、現代を知るための考古学研究」（広瀬二〇〇二）であるならば、考古学がこうした社会の要求を無視できない現状に至っていることは明らかであろう。ゆえに、メディアもその流れに組み込まれざるを得ない。いわゆる考古学報道、発掘報道、文化財報道の存在意義はここにある。

考古学における社会性、現代性の内包については、考古学が現代社会と密接に関連する限り、その誕生は近代における必然であり、過去と現在という時間的な認識と、異なる世界の並立という空間的な認識を生むことになったとの指摘がある（ジュリアン・トーマス二〇〇四）。換言すれば、考古学には現代的視座が欠かせないと解釈することもできよう。過去をたどるという意識と行動自体が人間的営為であり、日々の出来事を時間的経過として刻むメディアもまた現代社会の要請に応える記録作業であるのならば、つまりは考古学とマスコミ報道は、近代的思考の産物という点で同じ範疇に属すると言えるかもしれない。とすれば、空間的伝達のみならず、時間的な伝達機能をも有する新聞と、過去の記録された事象を追究し解釈する歴史学や考古学とは通底するように思う。その認識をふまえ、背景となる社会的需要を考えるとき、人々が渇望する自らの存在理由への説明、あるいは時空を超えた特定集団の帰属意識のよりどころ、すなわちアイデンティティの模索がおのずと浮かび上がってくる。

実際、地方分権と郷土文化の見直し、また、歴史遺産の積極的活用という昨今の流れは、考古学界を巻き込んだ数々の社会現象を惹起している。発掘調査への興味はもちろん、世界遺産や国内の有名遺跡に代表される歴史的記念物が脚光を浴び、学校教育や生涯学習における歴史の比重が増すと同時に、保存活用問題もクローズアップされている。市民とのつながりを重視するパブリック・アーケオロジー、遺産観光の活発化の表れであるヘリテイジ・ツーリズムやエコ・ツーリズム、歴史的記念物を社会のなかに構造的に組み込もうとするヘリテイジ・エンジニアリングといった新しい概念も登場した。考古学は、純学問的な内的追究が進む一方で、関連諸科学と学際的に結びつきながら外部に向けて膨張を続けるという、正反対のベクトルを持つに至ったが、その根元はつながっているのであり、ジャーナリズムを含めた他の社会活動と深くリンクするのである。

とはいえ、メディアと学界との価値観の隔たりは小さくない。場合によっては紙面上の扱いが研究者らの目には奇異に映ることもあろう。長い蓄積と分析を重ねて帰納的に結論を導き出す学術的手法と、速報性と初出を重視するマスコミとでは根本的に性格が異なるから、矛盾が生まれるのは当然である。新聞が主体性を持つ媒体である以上、その情報伝達にはある程度の具体性と咀嚼、意義付けが求められる。それが時として「行き過ぎ」との批判を受けることになる。

そもそも、文化面などの専門欄はともかく、学術系の記事は、あらゆる種類のニュースがしのぎを削る一面や社会面にはそぐわない。文学がニュースとして扱われるのは芥川・直木両賞発表のときや有名作家の遺稿が見つかった、あるいは大物作家が亡くなったといった場合に限られるし、美術関係にしても似たようなものであろう。歴史系にしても、発見より解釈が議論される文献史学に関する話題が、単独で社会面を飾ることはほとんどない。

ところが考古学関係の場合、一九七二年の高松塚古墳壁画報道以降、そのウェートは激増した。文献史学の補助学に甘んじてきたとの見方もある考古学だが、経済成長による緊急行政発掘の急増にともない、学術報道の花形として中心舞台に躍り出た感がある。市民が考古学上の成果を学術性の枠を超えてとらえ、新聞がそれに応えることを責務とする以上、この種の記事が多くなるのは必然なのだが、それが「日本の考古学とマスメディアの関係が世界に例を見ない状況になっている」（藤本二〇〇二)、あるいは「もはや、学会誌などを通じた学会の影響力を、マスコミや出版社が凌駕する勢いにあ」り、「一部では学界がジャーナリズム主導で動いている感すらある」(新納一九八六)との印象さえ与えることになった。是非はともかく、その傾向は、緊急調査が減少気味の現在においでも、変わることはなかろう。

文化財報道の「功」と「罪」

古代社会の姿をめぐっては、いまも研究者の数だけ異なる見解があるといってよいし、決して完璧なコンセンサスを得た集落論や社会構造論があるわけではない。だが、報道は遺跡から復元される当時の社会をなるべくわかりやすく伝えることが責務であるから、ひとつの仮説に焦点を当てて記事に膨らみを持たせることも多く、学術上は確定していない推測が付加されがちになる。日々、特ダネ競争を強いられるマスコミの性格上、ニュース価値を意図的に過大評価する傾向がないとは言えないし、原稿をなるべく大きく扱ってもらいたいという記者の心理があるのも事実である。それが、あくまで可能性という条件付きでありながら拡大解釈を許し、特定の幻想を独り歩きさせる原因になっている。その結果、意識するしないにかかわらず、学問的な厳密性を無視した格好で、マスコミが一般読者に対してお墨付きを与え、場合によってはミスリードしてしまうことになる。それをジャーナリズムの「罪」と言われれば、反論は難しい。

古代建築物の復元を考えてみよう。視覚的に優れた復元建物は、記事やテレビ番組の対象になりやすく、ニュースのみならずドキュメント番組や検証記事、あるいはドラマの道具立てなど、あらゆる形でマスコミになじみやすい。だからメディアは学界に、センセーショナルな復元像の提示を求めがちである。そして、壮大な復元建物を縄文都市の神殿だ、という取り上げ方をすれば、たとえそれがひとつの選択肢に過ぎなくても、多くの人々に縄文時代に現代建築にも通じる巨大建造物が存在したかのような印象を与えてしまう。

復元のあり方や技術に関しては、マスコミは口を挟む立場にない。だが、あえて個人的な意見を述べれば、一九六四年に採択となったヴェニス憲章が、推測を交えた復元・再建は厳に戒めるべき旨を謳うように、学術的根拠のない行為は慎重であるべきであろう。しかし、比較的条件のそろった歴史時代以降などにおいては、現在に残る古建築や文献記録などから十分な考証に裏づけられたものであれば、あくまで可能性のひとつということを明示したうえで大いに復元し、活用すべき道もあると考える。それが文化遺産保護への大きな支えになっていることは無視できない事実だからである。

実際、一九九八年に約三六億円かけて復元された平城宮

築造当初の姿を復元した五色塚古墳（兵庫県神戸市）

の朱雀門などは、それを目にした人々に豊かな臨場感を与えてくれる。それを積極的に評価し、市民社会に具体的な形で歴史の素晴らしさを伝えるのは、マスコミのみならず、学界全体の使命であると思う。公共の利益という視点に立脚すれば、マスコミによる社会浸透力と学界による学術的な信頼性は表裏一体であるべきで、学界の担保があって初めて報道も充実すると言えよう。文化遺産に対する保護意識の浸透において、ジャーナリズムの寄与、すなわち「功」は、決して否定されるものではあるまい。

　では、マスコミ側の課題としてよく話題になる「最大」「最古」「最多」「初めて」といった常套句を改めて考えてみよう。やや食傷気味だが便利なので、「見出し」にも多用される。最近は「教科書を書き換える」といったキャッチフレーズも散見される。これに対して、考古学の意義は最大や最古だけではない、との批判がある。

　なるほど、類例の蓄積が重んじられる学術的アプ

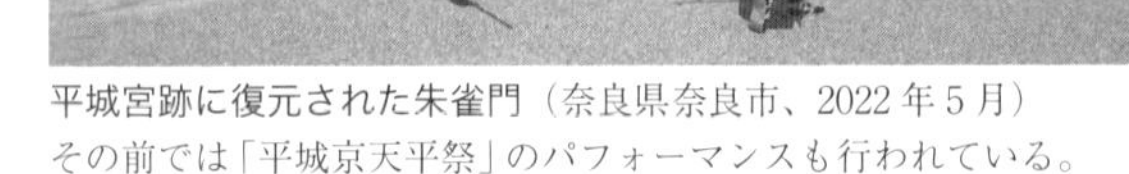

平城宮跡に復元された朱雀門（奈良県奈良市、2022 年 5 月）
その前では「平城京天平祭」のパフォーマンスも行われている。

ローチの視点から眺めれば、これらの刹那的表現が興味本位で読者をミスリードしかねないとの危惧はよくわかる。また、報道の基本である「わかりやすさ」への工夫が、結果的に内容の厳密さを減じ、優劣主義を助長している側面さえあるかもしれない。片岡宏二氏は、弥生時代中期初頭の吉武高木遺跡（福岡市）に定着したかにみえる「早良国王墓」という呼称に触れ、「わかりやすいことと誤った表現を使うこととは別」とし、「学問的な場での成果と、それを咀嚼しきれず一般市民に伝えられる情報とのギャップが『王墓』観の混乱を生んだ」と指摘する（片岡二〇〇五）。マスコミにとっては耳の痛い辛口の批評だが、傾聴すべきであろう。

飛鳥のキトラ古墳で精密な天文図が発見されたとき、世界最古の天文図との趣旨を前面に押し出した報道があったように思う。現代に残存する意味においては、これほど本格的な天文図が稀有なのは間違いない。しかし、それははるか昔の中国で成立した星宿図のうち、南宋時代の「淳祐天文図」などと比べて、たまたま、より古い段階で現存していただけのことで、無条件に最古という文言を当てはめること自体、無理がある。報道がその体裁を整えるため、ある事象の前後関係や背景を無視してコンテクストの一部のみを切り取り、「最古」や「最大」という一般化された価値観と強引に結びつけてきた傾向は否めない。

ただ、新聞の使命に鑑みれば、これらは不可欠な要素でもあり、内容をより鮮明に読者の記憶に残すためのレトリックという主張も成り立つ。たとえば三内丸山遺跡（青森市）がその特徴を「大きい」「長い」「多い」にまとめたことによって、その価値が広く浸透していったように、要はバランスの問題で、すべて否定的に取る必要はないと思う。脆弁ととらえる向きもあるかもしれないが、新聞の凝縮された情報、読者の関心を引くための第一段階となる「見出し」や余分な肉をそぎ落とした雑報記事の「わかりやすさ」は、その事実の周知に最大限の効果を引き出す手段として、ある程度は許容されるべきではないか。私は、そう考えている。

一方で、発表する側にも気になる点が散見される。たとえば、発表資料の表現である。「貴重な発見」などとマスコミさながらの文言、さらには「!」がつくものまで見かける。そのまま原稿にしてもいいような気の利いた要旨が添えられている場合もある。調査成果をなるべく大きく扱ってほしい、正確な記事を書いてほしい、という気持ちの表れであろう。

確かに、第一報を受け持つのは、多くの場合、総・支局や社会部の若手記者などで、文化財や考古学の知識はほとんど持ち合わせていないから、これらの発表方式は、お互いにとってメリットが多いに違いない。しかし、それが報道機関の判断能力とチェック機能を衰えさせる遠因にもなっている。いくら専門的な内容だからといって、メディアが発表情報の合理性を判断せずにそのまま垂れ流すことは、報道機関としての責任を放棄することに等しい。すなわち、発表者とマスコミのなれ合いは、結局は読者の不利益につながっていくのである。

以上のように、文化財報道が抱える悩ましい問題は、ある意味、構造的な欠陥とも言える。報道とはそもそも、あくまで発掘担当者の目を介した二次情報、三次情報をさらに加工したものとして、オリジナル情報の変質は避けられないとみる指摘もある(宮代二〇〇七)。とすれば、報道の客観性と真実性、その伝達方法の是非は永遠の課題なのかもしれない。だからこそマスコミには、可能な限りの的確な見識とバランス感覚が求められるのである。

旧石器遺跡捏造事件から見る報道倫理

ジャーナリズムに功罪両面があるのならば、メディアが取るべき道は、真摯な態度と、できうる限りの正確な報道に徹することによって、読者の信頼を得るしかない。ところが、文化財報道に大きな宿題を残した出来事が、世紀の変わり目に起こった。二〇〇〇年に発覚した旧石器遺跡捏造事件である。ここでは、この事件が浮かび上がらせた報道倫理について触れることにしよう。

二〇〇〇年一一月五日、旧石器遺跡捏造事件は『毎日新聞』の調査報道によるスクープで幕を開けた。東北旧石器文化研究所の元副理事長、藤村新一氏が宮城県築館町の上高森遺跡で、ポリ袋から持参の石器を複数取り出し、自ら掘った穴に埋め、足で踏みつける場面が克明にとらえられていた。その大きな連続写真は、今なお見る者に生々しいインパクトを与える。

学界による検証作業は『前・中期旧石器問題調査研究特別委員会報告（Ⅰ）』（二〇〇一年）や『前・中期旧石器問題調査研究特別委員会報告（Ⅱ）』（二〇〇二年）で随時報告され、最終的には六〇〇ページ余りに及ぶ『前・中期旧石器問題の検証』（二〇〇三年）が刊行されることで一応の終結をみた。その結果、日本考古学協会特別委員会は藤村氏が関与した一六二遺跡に捏造を認め、うち三遺跡の後期旧石器包含層をのぞいてすべての学術的価値を否定した。

捏造事件を引き起こした原因として、研究者が情報を共有するための調査報告書刊行の不履行、石器分析に必要とされる学問的手法の未熟さ、発見第一主義の横行、公表結果のみを事実として鵜呑みにしてきた姿勢、そして反対意見の無視という学界の体質などが挙げられたが、加えて、東北旧石器文化研究所が民間団体であるがゆえの成果至上主義、それに加担したマスコミ報道、考古学が専門的に細分化され過ぎたための不十分な検証体制、さらには壮大なロマンあふれる仮説を期待した社会環境も無視できない。その憑かれたかのような異常な展開からすれば、いずれは破綻する運命にあったに違いない捏造行為だが、捏造の遠因のひとつとなったジャーナリズム自らの手による暴露という、有無を言わせぬ明確な形で結末を迎えることができたのは不幸中の幸いだったのかもしれない。しかし一方で、このスクープは報道の倫理にも疑問を突きつけた。

というのは、『毎日新聞』は極秘裏に取材を積み重ねている最中も、濃厚な捏造の可能性を認識しながら、二〇〇〇年一〇月二四日付早版社会面で、上高森遺跡において六〇万年前の生活遺構が発見されたと報道、二八日には宮城版で「上高森遺跡は祭祀の場」という見出しを付けて、東北旧石器文化研究所による前日の記者会見の様子を伝えたからである。要するに、嘘と知りながら「事実」として報じていたわけである。

『毎日新聞』はその後、一一月二八日付の特設面で、スクープの裏舞台を紹介した。「報道の現場が何を考え、どう動いたか知りたい」という読者の要望に応えての措置だったという。記事はこの点に触れ、「柱穴や土こうについて、取材班は真偽を判断する材料を持っていなかった」「改めて検討した結果、やはり藤村氏本人の言い分を聞く前にねつ造と断定する報道はできないとの判断に達した。そのうえで、遺跡調査団の発表の事実を伝えることも、報道機関の必要な役割であると考え」たと弁明した。より詳しい内容は、毎日新聞社の『発掘捏造』(二〇〇一年)や『旧石器発掘捏造のすべて』(二〇〇二年)に収録されている。

これを読者への裏切りとみるか、大事の前の小事とするかで、言論界では賛否が渦巻いた。なかでも『中央公論』誌上で繰り広げられた『読売新聞』と『毎日新聞』の熾烈な論争は興味深い。

口火を切ったのは二〇〇二年一二月号の「旧石器発掘捏造〝共犯者〟の責任を問う」という、読売の矢澤高太郎氏による毎日糾弾である。矢澤氏は「嘘であることが当然想定できる発表であったら、断じて記事にすべきではない。それはジャーナリズムに携る者としての最低限の節度ではないか」「日本の記事は考古学報道における新聞の在り方を論じる際には見過ごすことのできないものであり、歴史的な大スクープの陰に潜む汚点として長く記憶すべき資料と言える」などと手厳しい。そして、前期旧石器遺跡報道の嚆矢となった宮城県築館町の高森遺跡における一九九三年の『毎日新聞』のスクープ、いわゆる五〇万年前の日本にも原人がいたと報じた記事を引き合いに出し、「結果論とはいえ、九三年のあの大誤報と二年前の大スクープは相殺されるべきものである」と述べる。

これに対し、毎日の伊藤和史氏は二〇〇三年一月号の「『旧石器発掘捏造〝共犯者〟の責任を問う』に反論する」で、「『ジャーナリズムのモラル』を問うているはずのリポートが、実は極めて不誠実な、それこそ『ジャーナリズムのモラルに反する』構造になっていることが分かった」と猛反発。矢澤氏の指摘を列挙し、むしろ「『ジャーナリズムのモラル』に従ったからこそ、取材班は矢澤氏のような外形的な批判が出ることも承知の上で、一連の取材・報道を行ったのである」と言い、「念には念を入れて取材し、出来る限り疑問点のない原稿に仕上げること、また、万が一にも相手に言い逃れの余地を残さないよう万全を期すこと」がモラルのうえで不当なのか、と問い返す。また、二つのスクープは相殺されるべきだとの矢澤氏の主張には「極めて特異な論理」として「別々に評価すればよいだけのことである」と切り捨てた。

　矢澤氏の反駁が二〇〇三年二月号に、「それでも毎日新聞は旧石器捏造問題の共犯である」として掲載される。ここで矢澤氏は、「取材を慎重に進めることと、限りなく虚偽に近い発表を記事にすることとはまったく別物なのだ」と伊藤氏に対して反論を展開する。そして、一〇月二四日付の記事で事情を知っていた記者が藤村氏を支援してきた二人の研究者に談話を求めたことを取り上げ、「二人の人権に対する配慮も、一片の武士の情けも感じられない冷酷、非情な取材テクニックというほかはない」と断じた。

　後段になると、両者の応酬もすでに水掛け論的な様相を呈しているが、要は、大きな真実を報じるために部分的な虚偽報道は許されるか否か、ということである。

　スクープが新聞の最終目的であり、かつ外部に漏れることが取材成果を不完全にしてしまうという危険性があった以上、毎日新聞取材班の葛藤は容易に想像できるが、読者の絶対的信頼に成り立つべき報道機関が背負う倫理にしたがえば、確信犯としての「誤報」は容認されるものではない。とはいえ、スクープが失敗し、捏造が疑惑として残るという最悪の状況を想定した場合、学界や社会への影響は計り知れず、不正をただすという報道機関の使命は果たせなかったかもしれない。報道倫理と社会通念上の責務とを照らし合わせたとき、果たしてどちらが正しい判断だったのか。残念ながら、いまの私にはその解答を見つけることができない。私が捏造を暴く立場にあったとしたら、やはり毎日新聞取材班と同じ行動をとったかもしれない。ただ、言えるのは、新聞報道が公共の利益に多大な貢献をしたとしても、読者への背任は報道機関の根幹にかかわる大問題であること、そして一度失われた信頼は簡単には回復し難いものであり、その影響はマスコミ全体に及ぶことを覚悟しなければならない、ということである。

かつて新聞各社は、第二次世界大戦における戦時報道のなかで大きな誤りを犯した。国益という「公共の利益」のために、新聞は自らの存在基盤として立脚すべき市民の信頼を欺き続けた。その苦い経験の反省に立って、戦後の新聞報道は始まったはずである。読者を裏切らないという理念は、すべてに優先する不文律だと思う。

報じる側の立場に立てば、考古学の通説を根底から覆す大スクープの前に、リスクを生じさせかねない要因を排除しておきたいという気持ちはよくわかる。が、読者の立場に立てば、たとえ取るに足らない小さな記事であったとしても、そこに寄せられる信頼は等しく絶対であるし、記事に優劣の差があってはならない。それを知りながら「虚報」を流したのであれば、どんな釈明をしようとも、報道機関としての最後の一線を越えてしまったことになるのではないだろうか（※現時点での個人的意見を言えば、いわゆるウラがとれるまで慎重のうえにも慎重を期さねばならない調査報道において、虚偽の事実が確定するまでは疑惑もあくまでグレーゾーンなのであり、その段階ですべての報道を差し控えるというのは、取材の最終目的を完遂させるうえでも非現実的だと考える）。

私には、大スクープの前にかすんだ小さな記事のなかに、もっと大きな意味が秘められているような気がしてならない。

考古学の大衆化と地域ナショナリズム

私たちは過去をどう生き抜いてきたのか。自らのルーツはどこにあるのか。この命題は考古学の永遠のテーマであると同時に、人々の知的好奇心をくすぐる。なかでも郷土の歴史は、その地に生きる人々のレゾンデートルを再認識させる格好の素材である。ここでは、マスコミが郷土史、地域史の構築に果たした役割の功罪をみる。

戦後、日本の歴史は極度の中央主義から解放され、全国各地で郷土史の復権が始まった。地域の歴史はマスコミにとって重要なテーマであり、ことに地域文化を牽引する地方紙には欠かせない分野である。地方紙ならではのきめ細かな取材は豊かな地域の歴史像を伝えてくれる一方で、やや筆が走り過ぎたようなご当地自慢に陥ることも少なくない。その最たるものが邪馬台国論争であろう。これは郷土へのナショナリズムが収斂されている好例であり、全国各地に点在する候補地の数々がそれを雄弁に物語る。

邪馬台国については、長い蓄積の一方で、玉石混交ともいえる無数の論考がある。私はかつて、邪馬台国がなぜかくも関心を呼ぶかについて「二項対立」「多項並立」といった構図からとらえ、ある一定のパターンに従って無数の学説が孤立的に存在することにより論争が停滞し、それが研究者らの忌避を促して学問的な止揚を妨げていると推測したことがある。また、高い関心を維持する背景には、邪馬台国に重ねられた過剰な郷土愛の発動が少なからず影響しているとも考えた（中村二〇〇九）。

邪馬台国とナショナリズムとの関係は、いまに始まったことではない。戦前の邪馬台国論争に、植民地主義や対外進出を支えた政治的イデオロギーが横たわっていたことは指摘される通りである（千田二〇〇〇、小路田二〇〇一）。時の政局や世論、国際情勢に左右される複雑な思想的干渉から解き放たれた戦後の歴史学において、著しい皇国史観は影を潜めたかにも見える。だが、戦前と戦後の歴史観はなお直結しているとの厳しい意見もあるように、両者は無関係であり得ない。こと邪馬台国に関して言えば、多かれ少なかれ、ナショナリズムの具としての構図はなんら変わらず、対外諸国との相対的視座を今度は国内に移して無数の郷土愛と結びつきながら、より細分化された形で残存していると言ってもよいのではないか。すなわち、邪馬台国論争の大衆化は、地域ナショナリズムの高揚を促す格好の装置になっているのである。

むろん、郷土の歴史を称揚する気持ちは否定されるものではないし、現在の地方の疲弊にあって、むしろ地域活性化へのモチベーションの源泉として歓迎されるべきものであろう。問題は、これまでの行き過ぎた中央至上主義への反動とも言える郷土復権という波に乗り、過度の郷土愛が唯我独尊の近視眼的視野を生んで周囲との没交渉を引き起こし、排他的で狭隘な郷土至上主義を先鋭化させることである。それは邪馬台国に限らず、郷土史全般に言えることであり、マスコミもまた、意識するしないにかかわらず、それを助長する役割を演じてきたように思う。政局や外交といったニュースと違って、発掘記事にはその傾向が顕著で、全国的な視野や外部と比較検討する視点が抜け落ちていることが少なくない。

考古学的発見の評価は、全国を通した普遍的な絶対評価であるべきなのは言うまでもない。ところが、情報が伝達される過程で大きなバイアスがかかってしまう。つまり、価値に著しい地域差が生じるのである。マスコミ界、特に新聞には地元第一主義が貫かれており、地域言論界のリーダーたる地方紙は地元のニュースを破格に扱う。地域住民の関心事だから当然である。全国紙とて例外ではない。一見、当たり前のことなのだが、この現実に、私たちはどれだけ気づいているだろうか。

たとえば、ある考古学上のニュースがあったとする。それが某県内では初めての発見だとしよう。

地元紙は一面トップ、第一社会面トップの扱いかもしれない。一方、全国紙は、全国的には類例があると判断して第三社会面、あるいは県版のみの扱いになったとする。全国紙が地域面以外に出稿しなかった場合、当該地域をのぞく都道府県に、その情報は届かない。一面や社会面掲載になったとしても、朝日、読売、毎日といった全国紙は東京、大阪、西部（福岡）などと本社が地理的に分かれる特殊事情もあり、扱いは各本社によって異なる。地方紙にしても同じで、通信社によって各地の記事が配信されるものの、自分の管内以外の出来事は大きく扱わないのが普通であるから、評価の差はさらに広がる。ある地方紙では一面に掲載されているのに、その他の新聞では影も形もない、という状況は珍しくないのだ。新聞は販売戦略も絡んで、ある意味、該当地域の読者に迎合した地域密着の紙面づくりをしているから、全国的な視野から眺めれば異形な体裁とならざるを得ない。充実した地域報道の裏にはこのような恒常的欠陥が存在するわけで、邪馬台国論争に絡む牽強付会な傾向は、それが顕現化した典型例と言えようか。

要するに、メディアは普遍的な基準になり得ない。恣意的な取捨選択は日常的に行われ、都道府県単位ごとに偏る情報伝達が続いている。これを過度の郷土愛やいびつな地域至上主義の発生とは無関係だと片づけるわけにはいくまい。「最大」や「最古」といった表現以上に、報道機関が抱える構造的特性を理解しておくことが求められよう。

戦前の国策的な新聞統制に源を発する原則一県一紙という旧態依然とした新聞業界の特殊性は、現在もなお、当該地域の外に対してかなりの閉鎖性を保たせている。地元の記事はなるべく大きく、地元と関係なければ小さく扱うという報道姿勢が、結果的に狭い地域内でしか通用しない価値観を生じさせたとすれば、これもまた、巨視的な展望において好ましいことではない。逆に、大和政権の中心地である近畿地方をはじめとした「中央」とのつながりを必要以上に強調し、大王陵などと無理やり付会させることにより、地域文化をオーソライズしようとする傾向もある。一見、正反対の動きに見えるが、郷土文化の特別視と他の地との相対的優位を志向する点において、変わりはない。語弊を恐れずに言えば、そこには地元マスコミと住民の意向との「あ・うん」の呼吸が少なからずあるように思える。

考古学が地域を勇気づける学問であり、文化財報道がその一端を担うべきものであったとしても、それはすべての市民社会に敷衍されるべきであり、一部の狭隘なナショナリズムの具となってはならない。意図的な優劣の固定化はあってはならないし、それにマスコミが荷担することは許されないのである。

結語にかえて

以上、考古学におけるジャーナリズムの功罪について述べてきた。確かに、マスコミとは毒にも薬にもなる存在に違いない。日々の発掘報道が不特定多数の読者や視聴者に埋蔵文化財への関心を促す有効な手段になり得る一方で問題点も多いわけだが、マスコミの構造上、発生せざるを得ない問題点を認識し、その排除に努める真摯な姿勢こそが、閉塞した地域主義に陥らない冷静な客観情報を社会に提供し、考古学の発展に寄与することになると信じたい。ひいては、それが中央史観に偏らない多様な文化の尊重にもつながるであろう。

メディアの発達で情報の氾濫はますます進む。豊かな歴史観をはぐくむためには、マスコミと学界との緊張ある相互批判関係の維持が不可欠である。そのためにはマスコミ自身の研鑽はもちろん、学界や読者自身の報道への理解もまた、試されているのである。

参考文献

片岡宏二　二〇〇五「墓制からみた北部九州弥生時代」『季刊考古学』九二
片岡正人　二〇〇〇「マスコミから見た埋文行政」『考古学ジャーナル』四五六
片岡正人　二〇〇二「考古学とジャーナリズム」『季刊考古学』八〇
小路田泰直　二〇〇一『「邪馬台国」と日本人』平凡社
千田　稔　二〇〇〇『邪馬台国と近代日本』日本放送出版協会
ジュリアン・トーマス　二〇〇四「考古学・現代性・社会」『文化の多様性と21世紀の考古学』
中村俊介　二〇〇四『文化財報道と新聞記者』吉川弘文館
中村俊介　二〇〇六『世界遺産が消えてゆく』千倉書房
中村俊介　二〇〇九「邪馬台国論争私見――メディアの立場から所在地論はどう見えるか？」『東アジアの古代文化』一三七
新納　泉　一九八六「ジャーナリズムと考古学」『岩波講座・日本考古学7　現代と考古学』
広瀬和雄　二〇〇二「埋蔵文化財行政と考古学研究」『文化庁月報』四〇五
広瀬和雄　二〇〇三「埋蔵文化財行政はなぜ可能か！」『考古学研究』五〇―一
広瀬和雄　二〇〇七「埋蔵文化財報道と考古学」『考古学論究――小笠原好彦先生退任記念論集』
藤本　強　二〇〇一「旧世界の前期旧石器文化をめぐって」『季刊考古学』七四
宮代栄一　二〇〇七「考古学とマスメディア――ミスマッチを減らすために」『季刊考古学』一〇〇
毛利和雄　二〇〇〇「考古学ブームとマスコミ報道」『考古学ジャーナル』四五六
山成孝治　一九九九「考古学報道の問題点と今後の課題――報道現場からの2、3の提言」『国家形成期の考古学――大阪大学考古学研究室10周年記念論集』
季刊考古学・別冊12『ジャーナリストが語る考古学』雄山閣、二〇〇三

世界のなかの「文化財」

メディアと社会、そして学界は無縁の存在ではない。さかんに叫ばれる観光や地域振興における歴史遺産の「活用」は、それにますます拍車をかけている。と同時に、日本がはぐくんできた「文化財」の概念も変化しながら、世界基準の理念との融合が進みつつあるように思う。高度に発達した文化財保護制度もまた、国内だけで完結する状況ではなくなってきている。その象徴がユネスコ（国連教育科学文化機関）の「世界遺産」ではないか。

いまや世界遺産を知らない者はいないだろう。日本において文化遺産に推薦されるためには、原則として史跡や重要文化財であることが前提だから、国内の保護制度と世界遺産はもはや構造的に切り離せない関係にある。一方で、世界への接近はこれまで考えられなかった事態をもたらしており、政治的思惑が純粋な文化的価値をかすませる状況も目立ち始めた。たとえば、佐渡金山（新潟県）の世界遺産推薦をめぐって巻き起こった日韓の外交摩擦である。そのことは第Ⅱ章でふれたい。

いずれにせよ、我が国の「文化財」は、好むと好まざるとにかかわらず国際的な視点でとらえ直さざるを得ない時期に来ている。文化遺産の保護も一国の枠を超えて、一〇〇年先を見据えたシステムを構築する段階に突入したと言えそうだ。とはいえ、もともと制度上も手法も理念さえも食い違う両者だけに、いかに整合性を見いだして相乗効果を生みだすか、は大きな課題だ。日本の文化財から世界の人類遺産へ、という新たなフェーズのなかで、私たちは試されているのかもしれない。

それでは、考古学ジャーナリズムの将来についてまとめた以下の小文でこの章を終え、次章では日本の文化財保護制度とのオーバーラップが無視できなくなったユネスコの世界遺産制度に焦点を当てることにしよう。

なお、本章の末尾には、補足として四本のコラムを加えた。

考古学とジャーナリズムのこれから

『季刊考古学』第一五〇号（雄山閣、二〇二〇年）

かつて新聞やテレビといった一部の巨大メディアは、ほとんどの情報を独占してきた。ところがインターネットの出現は無限の情報を個々人に開放し、マスコミを取り巻く状況は激変した。新聞も新たな環境への適応と生き残りをかけて対応を迫られ、形態や内容の変質が生じている。考古学報道もまた、例外ではない。

学術記事といえば地味なものが多いなか、考古学は内容次第で一面トップさえ飾ることのある特異な分野だ。それだけニュース性のあるテーマだと言えるが、近年その関連記事は減っている。緊急発掘の減少の影響はもちろんだが、それだけではなく、考古学報道の存在意義自体が変わりつつあるように思える。

激動期の情報社会で、考古学や文化財に対してジャーナリズムができることは何なのか。現状と課題を紹介し、私見を述べたい。

考古学報道を揺さぶるメディア環境の激変

そもそも考古学報道は必要なのか。旧メディアの代表である新聞を採り上げてみよう。二四時間絶え間なく情報が更新され続ける現代社会で、残念ながら、定時的な情報発信を中心に据えてきた新聞という媒体の地位は落ち続けている。デジタル配信もそれを回復させるほどの効果を上げているとは思えない。ただ、新聞には速報性一辺倒では測れないコンテンツもある。それが文化関連の記事であり、考古学報道はそのひとつだ。実際、文化記事を日々量産するメディアは、そう多くはないだろう。

考古学記事には大きく二種類ある。まず、第一報や初報と呼ばれるニュース雑報。市町村の教育委員会などが公表する最新の調査成果のたぐいで、一面や社会面、地域版を「新発見」や「新たな事実」で飾る。主に担当するのは出先機関の総・支局だ。もうひとつは、文化部とか学芸部と呼ばれる専門部が受け持つ文化面や特集面の長行記事。専門知識とキャリアを持つ記者が長期的なスパンでニュースの意義を掘り下げたり、読み物風の連載に仕立てたりする。ただ初報でも「大発見」は支局や社会部と共同で取り組むこともあるし、文化部記者が解説記事を手がけることもある。全国紙と地方紙で充実度や態勢はまちまちだが、いずれにせよその手厚い扱いは、豊富な取材網を持つ新聞ならではと言えるだろう。

メディアの多様化で、新聞報道の中核を担ってきた事件・事故や政局、外報といったニュース性の強い分野がネットと競合せざるを得ないのに対し、文化関連分野はこの特殊性ゆえか、存在感もそれほど減じていない気がする。速報性と一歩距離を置いた性格が逆に強みとなっているのかもしれない。

加えて、考古学や文化財報道は読者ごとに関心が違い、多様な価値観を持つ。邪馬台国に夢とロマンを感じる人もいれば、戦国時代の山城や近世城郭に興味を示す人もいる。読者の知的好奇心を刺激する一方で、文化財保護法を介した埋蔵文化財包蔵地での開発において発掘調査がたびたび新知見をもたらすように、社会活動と密接につながる一面を有する。他の学術分野にはあまり見られない特性であり、いわば文化・学術性と社会性の両面を併せ持つわけだ。ゆえに人々の関心は高く、それはネット社会のいまも、さして変わらない。

また、価値観の均一化とグローバリズムが浸透するなか、考古学の世界はきわめて地域性に富む珍しい分野と言えよう。華麗な縄文文化が花開いた関東や東北、中部山岳地帯。大陸に近く、弥生文化を牽引した北部九州。古墳文化の中枢であり、律令社会の中心であり続けた近畿。おびただしい勢力が全国に割拠した戦国時代には、さらに細分化された各地域にも、それぞれ特有の歴史文化が息づく。この特徴に対処するには、地域性を十分に把握したうえでのきめ細かい報道が不可欠で、東京からの一方的な発信とは正反対のベクトルが求められる。四六万カ所もの埋蔵文化財包蔵地の動向を眺めつつ、各地で公になる成果を吸い上げ、報じる。すなわち地方からの発信であり、旧メディアでもとりわけ多くの取材拠点を擁する新聞が得意とするテーマである。

だが、その土台が揺らいでいる。厳しい経営状況で人員削減の波が襲い、急速な効率化は記者一人一人の腰を据えた取材姿勢や自己研鑽、キャパシティーの低下を促すとともに、本社や地方支局間の連携の弱体化を惹起するなど、物理的な面で支障をきたし始めている。地域文化の担い手としての自認も薄れており、一部の全国紙ではそれが東京・大阪二本社制への集約となって現れて地方のコンテンツが捨象される一方、地域紙・県紙は逆にますますローカルに特化しつつある（※近年は全国紙でも、東京一極化の傾向が加速している）。この二極化が進めば、前者は没地域性を生み、後者は他地域と比較検討するための視点を奪われることになろう。地域間で相対的な視座の欠如が過度に進行すればそこに排他性が生まれ、歴史像のゆがみに歯止めがかからなくなる。その実例は、戦前の日本の学界やドイツのコッシナ学派の例を見るまでもない。メディア界の激変は、考古学報道をも大きく揺さぶっているのだ。

効率化と弱体化の果てに待つもの

ジャーナリズムの役割のひとつに権力の監視がある。政治や行政に対してはもちろん、一見無縁に見える文化関係も例外ではない。

二〇一八年に文化財保護法が改正され、文化財も保存から活用へとシフトするなか、教育委員会が担ってきた文化財保護行政の首長部局への移管はますます加速するとみられる。近年の「稼ぐ文化」の風潮のなかで、見栄えのよい有形文化財はともかく、復元建物などがなければその存在を認知しにくい埋蔵文化財の置かれた立場は厳しい。法改正の際、適切な保護への配慮を求める付帯決議や地方文化財保護審議会の必置が強調されたものの、はたしてどれだけ現実的に機能するか懸念は消えない。なぜなら、一人の首長が保護行政と開発者のトップを兼ねる体制とは、大なり小なり首長の裁量に左右されることを意味し、ともすれば保護部局がトップの無理解や開発圧力に押し切られる事態も想像に難くないからだ。こんな先行き不透明な過渡期だからこそ、ジャーナリズムの重要度はますます増していると言えよう。

我が国の財産である埋蔵文化財を国民が共有するにあたって基本となるのは、それを社会にあまねく周知させるための地方自治体による報道発表である。発掘にともなう新たな成果が、可能な限り公表されることが好ましいのは言うまでもない。市民にとって決して身近とは言えない専門的な報告書にかわり、かみ砕かれた情報に事実上最初にふれる窓口となるのが記者会見であり、一見アナログだが最も効果的な手法である。

ところが近年、行政の発表が少なくなった気がしてならない。もちろん私のいる近畿地方（※執筆当時）では各地で活発に現地説明会が行われているし、他地域の状況を正確に把握しているわけではないから個人的な印象にすぎないのだけれど、四半世紀余り九州や東京で歴史担当に身を置いてきた者として、かつてより寂しくなったように感じる。もしこれが当たっているとすれば、それは緊急発掘の減少で大きな発見が減っただけでなく、会見に積極的だった第一世代のリタイアも影響しているのではないか。行政とマスコミ、双方の変質と弱体化も無関係ではなさそうだ。

なるほど、記者会見とは面倒なもので、行政側からすればマスコミとのやりとりに気を遣い、下手をすれば工期は遅れ、開発側との折衝もややこしい。もし公表によって現場保存の機運が高まれば、現場の仕事も気苦労も増すばかり。できれば余計な波風を立てたくない、という気持ちもよくわかる。だが、保護行政を支えてきたのは、世間に遺跡の価値を問いたい、遺跡を守りたいという、行政職員かつ考古学研究者としての矜持だったはずで、もしその熱意が失われているのならば、ことは深刻だ。

むろん、今も多くの若い世代が懸命に遺跡を守り続けているのは承知している。ただ、専門職のサラリーマン化が指摘されるなか、そこに上記のような傾向があるとするならば、背景に多岐にわたる仕事を抱えた現場の疲弊やモチベーションの低下もないわけではないだろう。

かねてより不思議に思うのは、どのような場合にマスコミ向けの記者会見を開くべきか、明確な取り決めがないことだ。その判断は自治体の意向にまかせられており、換言すれば会見の設定は関係者の熱意に左右される。もちろん数値的な基準を決めるのは不可能だとしても、埋蔵文化財を国民の財産と謳うわりには、なにか奇妙な気がする。もし性善説の陰で貴重な成果が人知れず葬り去られているのなら、遺跡への国民の知る権利が失われていることになり、ゆゆしき事態である。今回の法改正が、ステークホルダーとのトラブルや計画変更をおそれて画期的な成果を水面下に眠らせてしまうための隠れ蓑とならないか、懸念せざるを得ない。なし崩し的に秘匿される危険性を避けるため、さらには国民の知る権利を保証するうえでも、行政発掘の情報公開や記者会見の設定になんらかの基準が必要ではないか。だが、日本考古学協会など学界の動きを見ても、特別この問題に言及するセッションや発表は見当たらないようである。

責任はマスコミ側にもある。かつてのような特ダネ合戦はすっかり影を潜めた。発表を座して待つことが一般化し、記者にも考古学がネタの宝庫であるとの認識が薄くなった。前述のような人員削減や働き方の変化も影響しているのだろう。

取材の仕方や原稿の書き方も変わりつつある。かつて考古学原稿には、ある種の定型があった。研究者ではないマスコミにとってニュースの意義づけを担保してくれるのは、常に時代を幅広く網羅する大御所的な有名学者であり、そのコメントで締めることも多かった。是非はともかく、考古学などほとんど知らない記者たちが原稿を執筆する手法としては確かに合理的ではあったが、それが紋切り型の記事を量産し、学界や有識者への依存体質を生んだ可能性も否めない。

ところが学問の細分化とともに、この構図が崩れ始めた。より的確に報じるため、記者は誰が何を専門としているのか把握しておく必要性に直面している。にもかかわらず、メディアの衰退はそれに対応しきれておらず、結果、面倒な考古学報道を等閑視する傾向が生じて、ますます記者の関心を遠ざけるという悪循環に陥った。安易な取材手法に頼り切ってきたツケが回ってきたとも言えるだろう。いずれにせよ、私たちジャーナリズムに身を置く者も自戒を込めて、さらなる研鑽の必要性を痛感する昨今である。

情報の海で考古学報道の役割とは

以上のように、考古学ジャーナリズムの先行きは手放しで明るいとは言えない。が、その役割が終わったわけではない。

確かに、かつて情報を独占し一方的に提供した旧メディア中心の世界は、ネットの登場で一八〇度の転換を余儀なくされた。巷には無限の情報があふれ、真偽も定かではないカオスの様相を呈する。フェイクニュースやファクトチェックが頻繁に叫ばれるのも、人々のそんな不安が表面化した結果なのかもしれない。

紙面よりデジタル重視に切り替えつつある新聞もあるように、かつては朝刊と夕刊さえ考えればよかった記者感覚はいまや二四時間営業となった。ヤフーなどのネットニュースにいち早く転用されるためにはスピードに加え、よりセンセーショナルな、あるいは一般受けするコンテンツが求められる傾向もないとは言えない。時代の流れといえばそれまでだが、旧メディアが守り抜いてきた何かが消えてゆくことに一抹の不安を覚えるのは、私が旧世代に属するゆえか。

　思うに旧メディアの財産とは、戦前戦後を通じた歴史のなかで、ときに過ちを犯し、読者の批判を受けながら再起し積み上げてきた「経験」ではないか。手前味噌になるけれど、それこそが、玉石混淆の情報の海から信頼性のある情報を選び出すための枠組みとなり、あるいは多角的な視点を提供し得るツールとなる、と信じたい。それは熟練を要する考古学報道にも言えることであろう。

日本最大規模を誇る大山古墳（大阪府堺市）
宮内庁管理の「陵墓」として、立ち入りは禁止されている。

　二〇一九年の夏、「百舌鳥・古市古墳群」（大阪府）が念願のユネスコ世界文化遺産に登録され、喜びを伝えるニュースがあふれた。が、一方で学界が抱く懸念に触れた報道があったことに気づいただろうか。四九基の構成資産のうち二九基の古墳が宮内庁管理の「陵墓」であり、これらの推薦書上での名称は「仁徳天皇陵古墳」や「応神天皇陵古墳」などと歴代天皇らの個人名を冠する。世界遺産実現に向けたギリギリの妥協点だったのだろうが、陵墓の被葬者をめぐって宮内庁見解と学界の解釈にずれが依然としてあるのも事実だ。

被葬者が確定していないにもかかわらず特定資産に個人名を冠することで、この矛盾が解決済みと印象づけられ、議論自体が忘れ去られるのではないか——。そんな危機感を抱く歴史・考古学関係の一四学協会は、登録後ほどなくして大阪府庁で会見を開いた。華やかな登録決定関連の報道に比べて、どうしても扱いが小さくなるのはやむを得ないが、お祭り記事にかき消されがちなこんな隠れた側面を可能な限り報じることもまた、考古学報道の役割だと自負している。

ものごとには光と影があり、多様な見方がある。それを伝えるのは、私たち報道に携わる者の使命である。考古学が市民社会と密接につながっている以上、そこに学術性を越えた社会的課題が表面化するのは避けられない。学術面とともにそれをも忘れることなく発信して世に問い続けるのもまた、ジャーナリズムの重要な役割だと思う。

Column 1

文化財報道の倫理

こんな仕事をしていると、私もときおり、「では、あなたは邪馬台国をどこだと考えるのか」と聞かれ、返答に窮することがある。うかつなことを言えば論戦を挑まれかねない。それほど邪馬台国ファンは熱い。

あるとき、アマチュアの歴史愛好家の方から自費出版したらしい本が送られてきた。論評してほしいという。大変な力作で、一生懸命読んで感想を便箋につづったが、それがお気に召さなかったのか、まったく音沙汰がなくて後味の悪い思いをした。

私は研究者ではないから、他人の仮説の是非を判断できる立場ではないし、ましてや自説を構築するだけの知識もない。なにより記者として、自身の学問的な興味や信条を挟むことはどあぶないことはない。だから、常に客観性を意識し、研究者のまねごとは厳に慎んできたつもりだ。それはジャーナリストとしての心得であり、矜持でもある。

ところが意識の高い記者ほど、この一線を越えがちになるらしい。こんなことがあった。

昔、独特の歴史観を持つ先輩がいた。ある支局に赴任していた彼は地域版に連載を立ち上げ、独自の論理を展開し始めた。

新聞というものは曲がりなりにも表現の自由を旨としているから、基本的には記者の自主性を尊重するものだ。だが、「先日、お宅のあの人に取材を受けたが、私はあんなこと、ひとことも言っていないよ。コメントを都合よく使われては困る」といったたぐいの苦情が、複数の方から私に届き始めた。

歴史とは勝者の記録だと、よくいう。だから史料には多かれ少なかれ、ときの為政者や権力者、それを代弁する組織の立場からバイアスがかかっている。ゆえに研究には史料批判が欠かせない。きっと本人には、ジャーナリストとして誤りだらけの日本史を正したい、との決意があったのだと思う。けれど、それは一つ間違えば危険な独りよがりとなってしまうし、紙面を持論の発表の場にすることは、ともすれば公器を標榜するメディアの私有化につながりかねない。

連載はやがて打ち切られた。

こんな落とし穴は、より専門的な紙面づくりをしている本社の文化記者も例外ではない。学術報道ではその分野の知識と経験がものをいうため、人材的に余裕のある大手紙には専門記者が置かれてきた。仕事がら知識は増え、学界と深く交わって内情にも詳しくなる。すると思考パターンまで研究者に似てきて、それがときとしてジャーナリストとしての感覚を鈍らせることがある。

東日本を舞台にした旧石器遺跡捏造事件は、それを私たちに思い知らせた。捏造疑惑のうわさはすでに聞こえていたし、警鐘も鳴っていた。でも、「いくらなんでも、まさか、そんなはずはないだろう」と思い込んでいた。その心理につけこまれ利用された、痛恨の出来事であった。

Column 2

発見は「事件」か？

新聞記者は足で稼ぐ——。いまや社内でさえ耳にすることも少なくなったが、修業時代の私がさんざんたたき込まれた取材の基本となる常套句である。一見のんきそうに見える文化記者も例外ではない。

「考古学は事件だ。夜討ち朝駆け、夜回り朝回りしろ」

「知ったら躊躇せず、即、書け！」

先輩記者に、よく怒鳴られたものだ。新聞社も昔と違ってすっかり紳士的になってしまったけれど、私が駆け出しの頃は理不尽でパワハラなど日常茶飯事、いじめられて一人前になるという恐ろしい時代だったが、懐かしくもある。とにかく本社に上がってからも、文化部だからとか学術関係の担当だから、といって特別視されることはなかったように思う。

発掘ネタは、時と場合によっては破格の扱いになる。専門性が高いゆえに同じ事実を扱っていても、記者の器量や着眼次第で、報じ方に大きな差が出るのだ。A紙ではベタ記事だったのに、B紙では社会面トップや一面に掲載された、といったことも珍しくはなかった。

発掘報道がネタになることにマスコミが気づいたのはいつごろか定かではないが、高松塚古墳（奈良県明日香村）の壁画発見がその画期だったことに異論はなさそうだ。二〇二二年、この考古学史上、戦後最大の発見といわれた出来事から半世紀を迎えた。古代史ブームの発端となった一九七二年三月二七日の朝日新聞朝刊一面（大阪本社版）を見てみよう。

「飛鳥に装飾古墳」「法隆寺級の壁画」といった大見出しのもと、「日本考古学界の戦後最大の発見」

などの文言が躍る。なにしろ類例のない発見だけに、そのニュース価値を何と比較すればよいのか、この驚きをどう表現すればよいのか、困惑した様子もうかがえる。

この出来事をきっかけに、マスコミは考古学関係の記事が読者の広い関心を集めることを知った。見栄えがよければ写真モノとしても重宝されるようになった。

ネタになるということは、スクープ競争にしのぎを削る記者たちにとって他社を出し抜く絶好の機会でもある。そんな取材合戦は、ときに勢い余って特ダネ至上主義とも言える確信犯的な虚報まがいの記事を生むこともあったが、それが考古学報道を活気づけていたのは確かだ。現場に張り付き、すきあらばライバルたちを出し抜こうと、みな待ち構えていた。弥生時代の吉野ヶ里遺跡（佐賀県）のときもそうだったし、縄文時代の三内丸山遺跡（青森県）もそうだった。

もっとも近年は、目立った発掘調査成果が出れば行政側からメディアに公表されることが一般化し、記者発表もずいぶんシステマティックになった。初報に接するのはほとんどが支局や記者クラブに籍を置く、専門知識に乏しい記者だから、発表する行政側も事細かに気を配ってくれるようで、紙面上での扱いにそれほどばらつきは見られなくなった。

これはこれで効率的ではあるのだけれど、なんとか他社との違いを印象づけようと一生懸命に勉強していた世代からみれば、一抹の寂しさを覚えなくもない。

高松塚古墳の壁画発見を報じる朝日新聞
（1972年3月27日付東京本社版朝刊）

Column 3

古墳壁画あれこれ

極彩色の「飛鳥美人」で名高い高松塚古墳（奈良県明日香村）の壁画発見は一九七二年三月二一日のこと。二〇二二年はそれから五〇周年で、様々な企画展やシンポジウムが催された。

発見の翌年、小学三年生だった私は、おそらくまだ続いていたであろう「高松塚フィーバー」さめやらぬ現地を、母や弟と訪れている。大阪にいた親類のもとに遊びに来ていて、伯母たちが飛鳥に連れて行ってくれたらしい。石室がむき出しになった巨大な石舞台古墳の異様さはかすかに覚えているのだが、残念ながら高松塚の記憶がない。ただ、どうやら現地で母が買い求めたらしい額装の「飛鳥美人」がいまも実家にあって、実際に訪問したことをかろうじて証明してくれている。

あれから半世紀、そんな私がアニバーサリーのイベントを取材し、当時の様子を知る方々からいろんな話を聞いている。なんだか不思議な気がする。

さて、華々しい発見劇の一方で、高松塚古墳は苦難の歴史をたどった。二〇〇四年に壁画の著しい劣化を朝日新聞橿原支局の同僚がスクープし、以後、ずさんな国の管理が社会問題化した。そのころ私は東京本社にいたが文化庁担当を外れていたし、高松塚関連は大阪本社が主導権を握っていたので直接この取材合戦に絡むことはなかったけれど、問題発覚前にこの同僚から電話をもらったときは、その後の展開を予感してか胸騒ぎを覚えた。やがて朝刊一面を飾った白虎の姿は、あまりに無残だった。

壁画の発見は、明日香村史の編纂や遊歩道整備がきっかけ。学界の重鎮、末永雅雄率いる奈良県立橿原考古学研究所が発掘に取りかかり、関西大学の学生らが実働を担った。高松塚発の大ニュースは空前の「飛鳥ブーム」を巻き起こし、その重要性に鑑みて管理は文化庁に移された。墳丘は特別史跡に、壁画は国宝に。出土遺物も重要文化財に指定され、大がかりな保存施設が設けられた。だから、高松塚古墳は国によって手厚く保存管理されている、そう誰もが信じていた。が、裏では人知れずカビが石室内をむしばみ、優美な古代絵画は色を失いつつあった。

一九八〇年ごろにカビが大量発生し、その後いったんは沈静化したものの、平成に入って再び汚染が広がり、歯止めがきかなくなった。保存施設と石室をつなぐ取合部の崩落止め工事での対策が不十分だったのが原因らしい。作業時の損傷事故も発生した。しかしそれらは積極的に公表されることはなく、結局、この事実を暴露したのはジャーナリズムだった。文化庁の隠蔽体質と縦割り組織による硬直した管理体制に、人災だとの批判があがった。

国は現地での修復を断念し、石室ごとの取り外しを決定。二〇〇七年、石室は解体され、古墳近くに設けられた仮設の修理施設に移された。

そして、もうひとつの古墳壁画、高松塚の南一キロほどに位置するキトラ古墳の状況も深刻だった。一九八三年に発見され、高松塚にない朱雀や獣頭人身の十二支像、精巧な天文図で知られたが、こちらは漆喰層が浮き上がって崩落寸前。国は二〇一〇年までに、はぎ取りを終えた。

いずれも現地保存の断念という残念な結果になったとはい

墳丘から取り外され、専用施設内で修理が
重ねられた高松塚古墳の彩色壁画（奈良県明日香村）

え、盛んな報道やそれまでの管理体制への反省もあって、これらはいっそう手厚く保護を受けているとは思う。「飛鳥・藤原の宮都とその関連資産群」の構成資産としてユネスコ世界遺産の登録もめざしている。かつての首都であり、日本の原風景とか心のふるさとと呼ばれる飛鳥の至宝たちだけに、全国から注がれる関心は依然として高い。

しかし、古墳に描かれた彩色壁画は飛鳥だけではない。九州や東北に点在する装飾古墳を忘れるわけにはいかない。とりわけ熊本県や福岡県にそれらは密集しており、石室の壁面に直接、大胆な図像が原色で描かれている。武器・武具や動物、船など具象的な画題もあるが、円文や三角文といった幾何学文など抽象的なモチーフも多い。なるほど、高松塚壁画やキトラ壁画に見られる優美さや繊細さ、海外文化の洗練された香りには乏しいけれど、むしろ素朴で荒々しい原始美術の力強さをまとい、エネルギッシュなまでに個性を放っている。

東京本社から福岡の西部本社に異動後、私もそのいくつかをめぐってはいたが、文化庁がつくる専門委員会の研究者らが九州を視察に訪れ、改めて取材で同行したことがある。

その多くは山あいにひっそりとあった。差し込む西日ですっかり色彩が薄れてしまったものや、石室の地表近くにカビが生えていたものもあった。地元のみなさんが大事に管理してくれていたが、普段は見学者も少なく、みなどこか寂しげだった。

高松塚やキトラに比べれば知名度は劣るし、お世辞にも万全の保存施設があるわけでもない。それもある程度は仕方がないとは思うけれど、そこに現代にも通じる中央と地方の格差を感じてしまうのは、私だけだろうか。

Column 4

現代史としての文化財報道

世紀末の日本考古学界を揺るがした旧石器遺跡捏造事件。その影に隠れて、もうひとつの悲劇があったことを、みなさんは覚えているだろうか。いわゆる「聖嶽洞穴疑惑」である。

聖嶽洞穴は大分県南部の山間部に口を開ける洞穴遺跡であった。戦後間もない一九六二年、日本考古学協会洞穴遺跡特別調査委員会の委嘱を受けて、別府大学教授を務めた賀川光夫氏らが発掘。旧石器時代の人骨や石器群が見つかったとされる。ただ、出土品の数が少ない割にはナイフ形石器や細石刃など時期が異なる多種の遺物を含むなど、不自然さが指摘されていた。その謎を解明すべく、一九九九年暮れ、三七年ぶりの再調査が始まった。

翌二〇〇〇年、東日本で旧石器遺跡捏造事件が発生。その余波が九州の聖嶽にも及ぶ。週刊誌が

37年ぶりに調査された聖嶽洞穴（大分県佐伯市、1999年12月）
奥の割れ目が入り口となっている。

かつての発掘調査を「第二の神の手」として報じたのだ。一九六〇年代の出土品には聖嶽洞穴以外のものがあり、発掘者によって意図的に操作された可能性があるとして、記事は賀川氏の関与をにおわせた。突如スキャンダルの矢面に立たされたこの老学者は、二〇〇一年三月、報道に抗議し、自らの手で命を絶った。

ここで出土したとされる石器群について、検証を依頼された一五人の専門家は、その過半数が縄文時代のものという結論に達した。もはや聖嶽洞穴の発掘成果を、そのまま受け取ることはできない。ただ、この出来事は私の心にわだかまりを残し続けた。

戦後の荒廃から再起を始めたばかりという時代、考古学的な編年さえも確立しておらず、研究者や遺跡が置かれた状況も現在とは違った。それを今の価値観だけで見ることはできないし、そもそも先人の業績を乗り越え、ときには否定して進んでいくのが研究である。だからこそ学問的な前進がある。そう考えたとき、この悲劇の裏に、師や先輩に対して異論を唱えにくい学界の体質や雰囲気はなかったか。仮に自らの業績への批判を恥とするような属人的な要因が自死の背景にあったとしても、悲劇に至るまでの長い過程に組織的な上下関係や縦社会につきものの忖度などが作用した可能性はなかったか。もし、それが悪弊となって真摯で自由な議論を妨げていたとすれば、聖嶽事件は起こるべくして起こったと言えるかもしれない。

いずれにせよ、もし石器の検証が早期に行われていれば、悲惨な結末は避けられたのではないか。そう思うのは結果論に過ぎるだろうか。

当時、西部本社で一連の聖嶽報道に携わった私は、後日、拙著『文化財報道と新聞記者』(二〇〇四年、吉川弘文館）のなかで四〇ページ余りをこの経緯に割いた。刊行後、インターネット上では「同情心を持ってしまうなど（中略）取材体験が足りない」との辛口の批評をもらったし、懇意な研究者にも突っ込みの甘さを厳しく指摘された。執筆時の私は三〇代後半。記者としての未熟さは否めず、それらの批判も甘んじて受けたい。ただ、ジャーナリズムの活躍が真実を劇的にあぶり出した旧石器遺跡捏造事件の輝かしいストーリーと異なり、聖嶽疑惑は、関係者の自死やその引き金をマスコミが引いてしまったこともあって、いまも自分の胸に重く暗くのしかかっている。舞台が九州の片隅だったからか、世間では早くも風化が始まっていたことに危機感を覚えた私は、なんとかこの出来事をまとまった文章に残そうと思った。聖嶽の不幸を現代史の一ページとして記憶にとどめてもらいたい。その一心だった。

二〇二二年三月、ちょうど高松塚壁画発見五〇周年を迎えるタイミングで、大脇和明著『白虎消失』が刊行された。新聞紙上で断片的に報じられてきた事実を、当時をふりかえりつつ、ジャーナリストならではの視点でまとめている。

高松塚壁画の劣化報道については、前述のように文化庁取材も含めて大阪本社が担ったため、当時、東京本社や西部本社に籍を置いていた私自身が直接関与することはなかった。したがって、ことの経緯や詳細は同書から知った。コラム3でふれた同僚とは、この著者である。細かなデータが時系列に記され、今後、一連の騒動を知るうえで欠かせない記録資料となるだろう。文化財報道が「いま」を克明に記録する現代史の一部であることを、改めて実感する。

第Ⅱ章 「文化財」から「世界文化遺産」へ

姫路城（兵庫県、世界遺産「姫路城」、1993年登録）

熊野古道（三重県・奈良県・和歌山県、
世界遺産「紀伊山地の霊場と参詣道」、2004年登録）

百舌鳥古墳群（大阪府、世界遺産「百舌鳥・古市古墳群」、2019年登録）

条約採択から半世紀を迎えて

近年、ユネスコの世界遺産はその華やかさと裏腹に、狭い袋小路に迷い込んでいる気がしてならない。一九七二年の条約採択から半世紀を迎えたいま、制度疲労とでも言うべき数々の課題と矛盾が噴き出している。その一端は拙著『世界遺産　理想と現実のはざまで』（岩波新書、二〇一九年）でも述べたが、その思いはますます強まるばかりである。喫緊では、二〇二一年から二〇二二年にかけて表面化した「佐渡島の金山」（新潟県、以下・佐渡金山）のユネスコ推薦をめぐる騒ぎが記憶に新しい。

この混乱は、突然降ってわいたわけではない。火種は日韓両国が世界遺産委員会を舞台に「歴史戦」の場外乱闘を繰り広げた二〇一五年登録の「明治日本の産業革命遺産」（九州など八県、以下・産業革命遺産）にまでさかのぼり、まさに負の連鎖を見る思いがする。

「産業革命遺産」については現地のボン（ドイツ）で私が見聞した報告を本書に収録したので詳細はそちらに譲るが、まさにそれが伏線となって七年後に再燃した格好となった。「佐渡金山」が紆余曲折を経てユネスコに推薦されるまでの一連の顚末を、この章の前振りとしたい。

ユネスコも「歴史戦」の舞台に

「佐渡金山」の世界遺産推薦が決まったのは二〇二二年一月のこと。が、作業はすんなり運んだわけではなく、せめぎ合う日韓外交や国内の政治的駆け引きに翻弄された末のドタバタ劇だった。二月一日のユネスコへの提出期限を目前に岸田文雄政権は二転三転する混乱ぶりを露呈し、波乱の年明けとなった。

「佐渡金山」は日本海に浮かぶ佐渡島で産出する金銀の鉱山やその関連施設の集合体である。西三川砂金山や鶴子銀山、相川金銀山を核とし、江戸時代以来四〇〇年の間に七八トンの金や二三三〇トンの銀を産出した国内最大の金銀山だ。まるで巨人が剣でもって山塊をまっ二つに断ち割ったような「道遊の割戸」なんて、なるほど見る者を啞然とさせる。地元にとって、そんな郷土ご自慢の宝のユネスコ推薦は、二〇一〇年に暫定リストに記載されて以来の悲願だっただけに、新年の幕開けにようやくめぐってきた吉報のはずだった。

ところが早くも暗雲が立ちこめる。隣国の韓国が、自国民が「強制労働」させられた施設の登録は許しがたいと猛烈に反発、推薦の取り下げを求めたのだ。確かに、近代にいたって動員された多くの労働者には朝鮮半島出身者も含まれていたが、日本側は、推薦対象はあくまで江戸期であって近代は含まないとの説明を繰り返した。これに対して韓国も引かず、両国の主張は平行線をたどる。

期限が刻一刻と迫るなか、岸田政権は前途の多難さを考慮してか、いったんは推薦を見送る姿勢を見せた。ところがその「弱腰」を身内の自民党内でも批判され、一転して推薦に

露天掘りの痕跡をいまに伝える佐渡・相川金銀山の「道遊の割戸」
（新潟県佐渡市）

舵を切らざるをえなかった。

「佐渡金山」の迷走は不幸にも、新型コロナウイルスの感染拡大という非常事態のさなかであった。ただ、通常は夏に文化審議会によってなされる推薦候補の選定が半年後の年の瀬までずれ込んだのは、その理由だけでもないだろう。発表時、文化庁が「これは推薦の決定ではない。政府で総合的に検討する」との異例の言及にまで及んだことに鑑みれば、つまりはこの時点で、すでに来たるべき混乱を見据えて政治判断にゆだねたとも言えるわけで、文化庁がいかに神経質になっていたかがよくわかる。

遠因は二〇一五年にあった。この年に登録された日本推薦の「産業革命遺産」をめぐる政府の対応が、のちのちまで尾を引いていたのだ。

七年前の「亡霊」、再び

「産業革命遺産」は日本の近代化を支えた重工業の工場や炭鉱施設、港湾などを構成資産とし、九州を中心に全国に散らばるシリアル・ノミネーションの遺産群である。指定文化財のみならず民間企業で稼働中の現役施設を含むため、文化庁ではなく内閣官房が取り仕切った。

その登録の可否を問う世界遺産委員会は二〇一五年夏、ドイツのボンで開かれた。開催前から韓国は、戦時中に自国民が「強制労働」させられた施設が含まれているとして猛反発したが、日韓事務レベルでの事前折衝の末、一時は登録協力でまとまったかに見えた。ちなみにこのとき韓国側との対応にあたった外相は、のちに首相として「佐渡金山」問題に対処することになる岸田文雄氏だった。

ところがいざ現地で会議が始まると「徴用工」をめぐる表現で再び対立、審議さえおぼつかない事態に陥った。日本政府は当時、朝鮮半島は日本の植民地であり、国家総動員法に基づく国民徴用令に照らし合わせれば日本人も朝鮮人も区別はないのであるから、半島出身者だけを強制的に労働させたわけではない、と主張する。だが、韓国側にとっては、そもそも併合条約自体が違法であり無効とみれば、自国民はあくまで「日本人」ではないわけだから、その論理は成り立たないという理屈を展開した。

このときは結局、日本側は当時厳しい労働環境にあった朝鮮半島出身者がいたことなどに言及する措置を「約束」して折り合いをつけ、なんとか登録にこぎ着けたが、両国民に後味の悪さと不信感を残すことになった。お互いに都合よく解釈する〝玉虫色〟の決着がのちのち禍根を残すのでは、との声もすでにくすぶっていたように思う。

そして七年後。「佐渡金山」のユネスコ推薦にあたって、その予感は的中する。かつてのわだかまりが鉱山遺跡という産業遺産を舞台にまたも再燃し、積年の宿題を清算できていなかったことが露呈したのだ。「佐渡金山」は、締約国からユネスコへの推薦という段階ながら、かつて世界遺産委員会で表面化してきた問題と似た構図が国内でも繰り返されたと言ってよい。すなわち、文化審議会が認めた学術価値さえ政治的な意向でいかに揺れ動くものかを改めて実感させることになったわけで、ユネスコの諮問機関であるイコモス（国際記念物遺跡会議）がくだした専門的見地からの勧告が、次々と委員国によって覆される状況ともどこか通じるものがある。「佐渡金山」のケースも「産業革命遺産」の経緯を見れば起こるべくして起こった感があるけれど、それにしてもこれほど露骨な介入はあっただろうか。

幕末に始まる「産業革命遺産」の下限は一九一〇年。日英博覧会の開催など日本の近代的発展が国際的に認められたころを設定の根拠にしている一方で、よりによってそれは韓国併合の年でもあった。そして「佐渡金山」もまた、朝鮮半島出身者が動員された近代以降を対象時期に含めていない。韓国側にしてみれば、近代より前で区切られたことに特定の意図を感じない方が無理な話で、姑息な隠蔽だと受け取られたのも想像に難くない。今回の対応に、「またか」との思いは募ったはずだ。

加えて、火に油を注ぐ事態も重なった。「産業革命遺産」の登録時に「約束」した措置が履行されているか否かをめぐって、認識の隔たりが表面化したのである。

日本政府はボン会議で、「意思に反して連れて来られ、厳しい環境の下で働かされた多くの朝鮮半島出身者ら」の存在を認め、それを記憶にとどめる措置として、二〇二〇年に東京・新宿に産業遺産情報センターを開設した。ところが、その展示内容に「強制労働」はなかった旨の証言が含まれていたため、韓国側は「約束」を十分に果たしていないと強く非難。二〇二一年夏には世界遺産委員会が「強い遺憾」を決議するなど、国際社会も懸念を表明した。

日本側は誠実に実行してきたとの立場だが、仮に「約束」の認識に両国でずれがあったとしても、それに真摯に向き合い是正してこなかったツケが回ってきたとみる向きもあり、それが「佐渡金山」の混迷を引き起こしたといっても過言ではないだろう。いわば、七年前の「亡霊」が再び現れたのである。

ボンの会議場前で見られた
「産業革命遺産」の登録に反対する韓国市民のテント

悪いことは重なるものなのか、それとも必然の成り行きなのか。二〇二二年七月、当初二〇二三年中に予定されていた「佐渡金山」のイコモス勧告や世界遺産委員会での審議が困難になるというまさかの事態が持ち上がったのだ。ユネスコは推薦書の一部内容の不備を指摘、これを受けて政府はその修正と改めての再提出を余儀なくされ、スケジュールは大幅にずれ込むことになった。推薦作業におけるノウハウの蓄積には自信を持ってきた日本だけに関係者のショックは大きく、動揺が広がった。

この件について文化庁は、韓国との軋轢は無関係との見方を示したが、それが何らかの形で不利に作用していないと言い切れるのかどうか。加えて、ロシアで開催予定だった二〇二二年の世界遺産委員会が同国のウクライナ侵攻で延期になるなど不測の事態も発生した。次々と降りかかる難題に、「佐渡金山」の先行きはまったく見通せなくなりつつある。

むしばまれる条約理念

国境や民族の違いを越えて人類遺産の代表を選ぶというイベントに、政治や外交が影響するなんて……。そう感じられる読者も多いと思う。が、国家間の摩擦がユネスコの舞台に持ち込まれる例は日韓に限らず、泥沼の争いが続くイスラエルとパレスチナ関連の案件など少なくないのが現実だ。

そしてそれは世界遺産だけにとどまらない。動産を対象にした同じユネスコの「世界の記憶」でも二〇一五年、中国が推した「南京大虐殺の記録」の登録に日本が反発。審査方法の見直しをユネスコに働きかけた結果、二〇二一年、加盟国が反対すれば登録できない制度に改められた。「世界の記憶」は条約である世界遺産と違ってユネスコの一事業に過ぎないので単純に同列で論じるわけにはいかないけれど、ともに人類遺産を後世に引き継ぐ目的であることに変わりはない。つまり、「世界の記憶」で国家間の歴史問題が未解決の場合、日本自らが登録の見送りを提唱したにもかかわらず、世界遺産をめざす「佐渡金山」では同じ要求を韓国に突きつけられて対応に苦慮するという、なんとも悩ましい自家撞着に陥ったわけだ。

そもそも、世界遺産における政治介入はいまに始まったことではない。審議の前提となるイコモスの専門的な評価が委員会で覆される状況が常態化して、すでに久しい。世界遺産が条約である以上、国際政治から完全に切り離すことは現実的に難しいが、露骨な政治介入によって根幹をなすＯＵＶ（顕著な普遍的価値）がゆがめられることなど許されるわけがない。でなければ、平和を希求するはずの世界遺産がかえって国際社会の亀裂を深める手段となりかねず、ひいては世界遺産制度の存在意義を揺るがすことにもなりかねないだろう。

実際、「佐渡金山」の迷走ぶりを眺めれば、政治的駆け引きの前に、人類遺産を未来へ手渡すという条約理念が置き去りにされ、その崇高な目標は遠くにかすんでしまった感がある。すったもんだの末に推薦とはなったが、もし外交への影響を忖度して日本政府が推薦を自ら取り下げていたら、おそらく登録の芽は摘み取られていたのではないか。なぜなら、両国の歴史問題がそう簡単に解決するとは思えないし、一度〝爆弾〟を抱えてしまった案件を、再びリスクを冒してまで政府が持ち出すとはとても考えられないからだ。

しかし、世の中にはそんな問題を抱える物件こそ危機にさらされている場合が多いはずで、むしろそれらを緊急に守るためのセーフティーネットが世界遺産条約だったのではないか。いつ来るともしれない解決を待っているうちに、当該遺産は破壊や消滅の危機に直面するかもしれない。すなわち文化遺産の世界に外交問題を持ち込んでいる限り、政治的配慮によって遺産が保護されないという本末転倒の事態さえ想定されるのである。実際、二〇二一年の第四四回世界遺産委員会では、ポーランドにおける民主化運動の舞台となった「グダニスク造船所」の評価で意見が割れて審議が無期限延期になるなど、その予兆が現れ始めている。

世界遺産制度がグローバル経済や観光産業に深く浸透するにつれ、ともすれば設立当初の理念は忘れられがちだ。制度の経年変化と肥大化で目立ち始めたほころびを、どう繕っていくか。その行方が遺産たちの将来を決めることになる。

変わりゆく世界遺産

さて、後掲する複数の論文は、近年登録された日本の文化遺産について私が関連地域で取材し、その審議がおこなわれた世界遺産委員会を訪れる都度、提出してきた報告や展望である。

振り返れば、それぞれに悲喜こもごものドラマがあった。「百舌鳥・古市古墳群」(大阪府)や「北海道・北東北の縄文遺跡群」(北海道・青森県・岩手県・秋田県)がスムーズに登録を果たし、本文中で述べた不安が杞憂に終わった一方で、苦渋の道をたどった国内遺産も少なくなかった。海外においても同様で、イギリスの海商都市リヴァプールは予想通り、登録抹消の三例目となってしまった。後続する可能性を持つ危機遺産リスト掲載の物件はまだまだ控えており、今後も予断を許さない。新型コロナウイルスの災禍で二〇二〇年の世界遺産委員会が延期になり、翌二一年の会議もオンライン開催になるなど、予期せぬ事態も発生した。激動する国際状況のなか、文化審議会は二〇二一年、今後の世界遺産戦略についての答申をまとめ、暫定リストの新規物件の公募は行わない方針を示した。全国各地で続く〝誘致運動〟への影響も予想される。

世界遺産を取り巻く環境は、今このときも刻々と移りかわっている。以下の論文等にもすでに現状と整合しない部分が多々あると思うし、今や昔の感も否めない。けれど、「はじめに」でおことわりした通り、文中の改変は一部をのぞきあえて最低限にとどめ、原則として加筆もしない形で掲載することにした。時制の調整もせず、時系列に並べた。それもまた世界遺産の歴史を知るうえでの、ささやかな記録になると思うからだ。したがって数字や各種データには増減や推移があることにご注意いただきたい。また、ひとつひとつの論文は独立したものなので内容的に重複する部分も多いが、その点も改めてご了承願いたい。

復元建物が点在する三内丸山遺跡（青森県青森市）
世界遺産「北海道・北東北の縄文遺跡群」を構成する資産のひとつだ。

曲がり角の世界文化遺産

登録物件の増加にともなう条約理念の変質

『遺跡学研究』第八号（日本遺跡学会、二〇一一年）

世界遺産はいま、増加の一途をたどっている。同時に、このまま青天井に膨張させ続けるわけにはいかないという声を耳にするようになった。それは近年、世界遺産委員会がとっている登録抑制策を見ても明らかであり、記載の実現率の減少にも表れている。世界遺産を取り巻く環境が大きく変化を始める一方で、世界遺産の概念や価値観、意思決定の信頼性は揺らぎ、その存在自体さえ変貌を遂げようとしている。ここでは世界遺産条約が抱える限界と課題を展望したい。

飽和状態による課題の噴出

一九七二年採択の世界遺産条約は、ユネスコ（国連教育科学文化機関）の条約のなかで特に成功した例といわれる。知名度においても人口に膾炙してきた意味でも、また様々な経済活動における活用例をみても、特に異論はなかろう。二〇一〇年にブラジリアで開かれた第三四回世界遺産委員会で登録数はついに九〇〇件を突破し、翌二〇一一年にパリで開催された第三五回委員会では九三六件に及んだ。一〇〇〇件の大台も目前である（※二〇一四年のドーハにおける第三八回委員会で一〇〇〇件を突破）。

この数を多いととらえるか、少ないと思うかは人それぞれだろうが、いずれにしても、このまま際限なく増え続ければ個々の資産に目が届きにくくなり、保護管理に影響が出るとの懸念は増しているように思う。[1]ユネスコは『世界遺産条約履行のための作業指針』(以下、『作業指針』と略す)において、一覧表に登録される資産の合計数に制限は課されていないとするものの、現実問題として、一度に可能な各国の政府推薦を二件までに絞るなど抑制策を打ち出してきた。

世界遺産委員会の決議は「記載」「情報照会」「記載延期」「不記載」の四つに分かれるが、その前段階として、文化遺産では国際記念物遺跡会議(ICOMOS、以下イコモス)がユネスコの諮問機関として、専門的な見地から審査を受け持つ。イコモスによる評価対象の資産数に対する記載勧告の比率も下がる一方である。二〇一一年は若干上向いたものの、依然として狭き門であることに変わりはない。

条約採択から四〇年近い時間が過ぎ、ピラミッドやアンコールワット、欧州の教会群、古代ローマの大遺跡、万里の長城など、誰もが認めるめぼしい記念物は、ほぼ出尽くしたと言ってよい。自国民にはともかく、外国人にはほとんど知られていない資産が議論の俎上にのぼることも少なくない。もちろん世界的に有名だからいいというわけではないが、文化遺産について言えば、地域性が強くなればなるほど誰もが共有できる理解は薄まり、推薦国と他国との価値観に齟齬が生じるのは必然であろう。世界に認められる普遍的価値を主張するために、逆に特殊性を強調せざるを得ないというジレンマも否定できまい。普遍性と多様性を両立させるためのレトリックが氾濫しているようにも思われる。

この現実はイコモスの審査にも影響を与えている。イコモスは世界中に一万人近くもの専門家を抱えるNGOだが、個人会員を中心とする組織だけに、限界はある。資産の学術的評価は複数の専門家によって検討されるとはいえ、候補資産が特定地域の文化により密着し、地味になればなるほど、それを正当に評価できる専門家が限られるのはやむを得ない。結果、客観的な学術評価や的確な判断に影響が及ぶのは容易に想像できよう。それはイコモスの勧告や世界遺産委員会の見解に不安定化や不一致をもたらし、たとえばインドのマジュリ島のように、一度は「情報照会」に落ち着いた決定が、その後の世界遺産委員会で「記載」どころか「記載延期」に後退するような例も出てきている[2]。二〇〇九年の委員会は、東京・上野の国立西洋美術館本館を含む六ヵ国の共同推薦物件だったル・コルビュジエの建築作品を「記載延期」のイコモス勧告から「情報照会」に格上げしたものの、二〇一一年、イコモスは改めて「不記載」勧告を言い渡した。これに対し、委員会は「記載延期」を決議するという応酬が続いた。両者の関係の難しさを象徴するような出来事である。

資産形態の多様化も悩ましい。ユネスコは一九九四年にグローバル・ストラテジーを打ち出し、西欧偏重主義からの脱却を唱えた。石の文化のイメージが強かった文化遺産の概念を木の文化や土の文化まで拡大することは、より多様な文化を汲み取ることを可能にし、アジアやアフリカ、南米などの国々からの登録を促進することにもつながる。それは歓迎するべきことで、異論はない。ただ、この種の偏重の修正を図ること自体に、政治的・人為的な恣意が含まれていることを忘れてはならない。

グローバル・ストラテジーは、文化的景観や二〇世紀の建築、産業遺産を比較研究が進んでいる分野とみなし、重視する。一方で、文化的景観は、複数の資産を簡単にまとめられるとの印象があるためか、安易に多用される傾向を生んだ。しかし、「個々には評価が難しい遺産の集合に意味を付与して文化的景観として申請する例が増えてきた」ため、この概念の原点に帰るべく、イコモスは厳しい評価を下す傾向にあるという(3)。

二〇一一年六月、その去就が注目された平泉が、第三五回委員会でようやく登録にこぎ着けた。一度は「記載延期」の勧告を受けて再挑戦するにあたり、政府は当初九つだった構成資産を一部改編しながら六つに絞りこんで記念工作物・遺跡として推薦し直し、「平泉―浄土思想を基調とする文化的景観―」の名称も「平泉―仏国土(浄土)を表す建築・庭園及び考古学的遺跡群―」に変更した。そこには、「文化的景観として推薦されているにもかかわらず、推薦資産は、全体の景観、あるいはさらに構成資産間の空間的結合というよ

大勢の見学者が訪れる中尊寺(岩手県平泉町)

りも、個々の要素に限定されている」などとするイコモスの指摘が大きく影響している。ときには国境さえ超えて類似資産を広範囲にとらえるシリアル・ノミネーションもはやりだが、これも課題を抱える。この手法は、資産群が持つ大局的な性格を総合的に把握できる一方で、個々の資産の個性や地域性が軽視される危険性を否定できない。構成資産の取捨選択にあたって基準が曖昧になりがちで、資産間の綱引きが中核となるべきストーリー展開を左右する例も見られる。先のル・コルビュジエの建築作品のように、そもそもシリアル・ノミネーションの概念に合致するのか、との基本的な疑義がイコモスから出された例さえある。[4]

文化的景観やシリアル・ノミネーションにおける構成資産の増加や領域の拡大は、そこに様々な価値観が包含されるがゆえに、かえって「顕著な普遍的価値（ＯＵＶ）」の認定を難しくさせ、広域に点在した資産群の保護・管理において複数の課題を露呈させることになった。『作業指針』では適切な管理が重視されているが、我が国で包括的保存管理計画の策定が急がれた背景には、そんな事情も無関係ではないのであろう。

記載条件の骨格をなすＯＵＶとは何なのかを根本から問い直し、改めて定義し直す作業も始まっている。登録にはその目安となる選考基準はあるものの、もともとＯＵＶはその抽象性によって様々に解釈されてきたきらいがあり、混乱を招く要因ともなってきた。二〇〇五年のカザン会議はその危機感を受けてのことである。ただ、強引なＯＵＶの定義づけと画一化はかえって多彩な資産の価値観を固定化した枠に押し込めることにもなりかねない。逆に、状況の変化にともなうＯＵＶの修正や進化も認められてはいるが、場当たり的で刹那的な対応はいっそうの混乱につながりかねず、これもまた慎重に議論されるべきであろう。

また、ＯＵＶは世界遺産における選別作業の根拠をなすものでありながら、相互に矛盾を内包している点にも留意すべきである。「世界の価値ある資産全てが世界遺産一覧表に記載されると思ってはならず、世界遺産一覧表は、むしろ、世界の遺産をバランス良く代表するものとして考えられるべきである」（第三二回世界遺産委員会資料「顕著な普遍的価値〈ＯＵＶ〉世界遺産一覧表へ文化遺産を記載するための標準に係る概要報告〈二〉」、二〇〇八年）という認識は、西欧偏重是正の趣旨に沿うものとはいえ、絶対的価値観より相対的なバランスが優先されるとも読み取れる。等しくＯＵＶを擁するはずの資産でありながら、恣意的な選択対象になっているような違和感を覚えるのは、筆者だけであろうか。

さて、近年、深刻な問題が生じている。そのひとつが世界遺産の登録解除である。二〇〇七年にオマーンの「アラビアオリックスの保護区」の解除を自国政府が求め、二〇〇九年にはドイツの「ドレスデン・エルベ渓谷」で橋の建設が優先されたために、それぞれ世界遺産一覧表から削除された。はたして住民に世界遺産への影響がどれだけ周知されていたのかという疑問も残るが、外部からは簡単に知り得ない生活改善への切実な声もあったのだろうし、政府や自治体においては複雑な国内事情への配慮や葛藤があったことも察せられる[5]。だが、結果として、自国や地元住民らが世界遺産のメリットより開発などの効果を望んだことに違いはない。それはすなわち、ヌビア遺跡群の保護に端を発する世界遺産条約の理念に反する事態といえ、絶大な人気を誇ってきた「世界遺産」の看板の相対的な低下、ブランド力のかげりを意味する。今後、同様な例の増加も十分予想されよう。その遠因に世界遺産の増加現象があるのは言うまでもない。

世界遺産の信頼性の低下も懸念されている。なかでも目立つのが政治や外交の介入である。二〇〇七年、イコモスは「石見銀山遺跡とその文化的景観」について「記載延期」を勧告した。政府は威信を懸けて巻き返しを図った結果、幸い、世界遺産委員会では一転して登録が決まり、新聞の見出しには「逆転登録」の文字が躍った。

登録決定の報が入ったとき、筆者は文部科学省の記者クラブにいた。文化庁記念物課は会見で、ユネスコ大使の外交努力が功を奏した、と語った。しかし、考えてみてほしい。諮問機関イコモスによる学術的見地からの評価は、それほど軽いものなのだろうか。委員会で簡単に逆転できるのであればイコモスの審査など不要であるし、なにより、政治的な思惑が行方を左右しては世界遺産自体の信頼性が揺らぎかねない(6)。案の定、二〇一〇年の委員会ではイコモスの判断が覆される例が続出し、懸念の声も出ているようだ(7)。

間歩と呼ばれる坑道が点在する石見銀山（島根県大田市）
世界遺産登録をめざして調査が実施された。

世界遺産が国際条約である以上、そこに政治的力学が介在するのは避けられない。崇高な理念が現実に引きずられることもあるだろう。そもそも、世界遺産の理念は国家という枠組みに基づく制度に支えられ、かつ縛られている、という指摘もある。[8] しかし、そうかといって、条約の理念を忘れた無節操な政治介入は、やがては世界遺産の将来を危うくすることになりかねない。客観的な判断の確保は待ったなしの状態といえよう。

暫定リスト記載候補公募の波紋

日本では世界遺産ブームが相変わらず続いている。テレビ番組や観光業界にもてはやされて認知度が格段に増したのに加え、わが郷土からも世界遺産を、という強烈な郷土愛と結びついた「誘致運動」の盛り上がりがブームの根底にあるようだ。文化庁が実施した二度の暫定リスト（暫定一覧表）記載候補の公募も、それを後押しすることになった。

我が国では、国が暫定リストの記載資産を一方的に決めてきたが、文化庁は六年ぶりの追加にあたり、二〇〇六年度と翌年度の二回にわたって全国の自治体から立候補を募った。初回は二四件、二回目は前回「継続審議」となったものを含めて三二件の応募があった。その結果、初回は四件、二回目は五件が選ばれた。[9]

公募という選考方法は民主的といえば民主的だし、『作業指針』にも地方公共団体や広範囲にわたる関係者の参加が呼びかけられているのだから、その実施は当然の成り行きではあった。[10] だが、それが郷土の誇りを世界に紹介したいという地域の思いをヒートアップさせ、無用なランキングや競争意識を生み、結果的に抑制傾向にあるユネスコや世界遺産委員会の思惑とずれをみせることになった側面も否めない。世界遺産の登録数を国威発揚の具にしたり、自国の文化の優越性を主張する手段ととらえたりする国もあるが、結局、同じことが国内でも繰り返されているのではないだろうか。

各地域の人々が地元の歴史遺産に愛着を持つのはすばらしいことである。アイデンティティの再発見につながり、文化財保護の意識も高まる。疲弊した地域を元気づける活力剤にもなるだろう。だが、行き過ぎれば、決してプラス面ばかりとは限らない。すなわち、国内の文化財の階層化である。[11]

世界遺産と国の史跡や重要文化財との間には一種の縦の関係ができつつあり、指定・選定文化財の上位に世界遺産を位置付ける風潮がすっかり定着したかにみえる。そもそも理念の異なる両者にこのような格付けはナンセンスなのだが、現状において、日本における世界遺産の政府推薦には文化財保護法下の文化財であることが不可欠となっていることに鑑みれば、その序列化は暗黙のうちに了承されているといってよい。その結果生まれた、わずかな世界遺産の下に膨大な国指定物件がひしめくというういびつなピラミッド構造は、日本が世界遺産条約を批准した時点で運命づけられていたともいえよう。

それは我が国だけの問題ではない。世界遺産委員会でも、登録手続きにおいて同種の資産が選ばれにくいという選別主義の存在は条約の理念と矛盾するものであり、条約自体がはらむ根本的なゆがみである。そのゆがみこそが、世界遺産ブランドによる過剰な経済的効果への期待、さらには国力誇示に代表される無意味な優位性と排他性を生むことになったといえる。その意味では、むしろ厳密な選考の少ない無形文化遺産保護条約の方が、登録制限の動きもあるにせよ、世界遺産条約の理念を実践していると言ってよいかもしれない。

ともあれ、公募は結果的に自治体同士の競争意識をあおり、遺産自体のランクづけを加速することになった。つまり、勝ち組、負け組をつくってしまったわけである。それは文化審議会や文化庁の責任ばかりでなく、地方自治体の短絡的な無理解もあろう。提案書を俯瞰すると、なぜこれが世界遺産でなくてはならないのか、と首をかしげる物件も多く、OUVの適用はどう見ても難しいといった物件も散見された。

公募が地元の文化財に新たな価値観を与えた意義は大きい。懸念されるのは、暫定リストから漏れた、あるいは登録がうまく進まないといった場合、自分たちが推した資産には価値がないのだという雰囲気が蔓延することである。公募という全国区での相対化作業によって地方に優劣意識を生じさせることになれば、文化遺産を守り、後世に伝えるという目的や保護意識へのモチベーションが失われかねない。そうなれば、世界遺産の登録運動はデメリット以外のなにものでもなかろう[12]。

成立の経緯や運用、理念など必ずしも一致しない世界遺産条約と国内法ではあるが、人類の財産を後世に引き継ぐという目的は同じである。序列化や感情的な壁を超えた、相互補完的な関係の構築が求められる。

一人ひとりが遺産を守る

「世界遺産」というフレーズは心地よい。観光旅行の目的地や地域振興の資源としても、きわめて有効なツールである。だが、それは膨大な自然の造形や人類の足跡のうち、私たちが意図的に表面化させた、ほんの一部にすぎない。

足下を眺めてみよう。自分が住む街にも小さな文化財がたくさんあることに気づくはずだ。これを守って自分の子どもや孫に伝えたい。そう思えたとき、ちっぽけな文化財でも世界遺産と同じほどの価値を持つことになるだろう。世界遺産という存在を、そんな自己覚醒への道標としてとらえてもよいように思う。

世界遺産の理念が文化財保護法をはじめとする国内法に与えた影響は小さなものではない。暫定リスト記載候補の公募が地元で守られてきた共有財産に、改めて人々の目を向けさせたのも事実である。他との競合から価値観を転換し、身近な文化財を見つめ直して、我が町の二つとない歴史遺産の大切さを再認識できれば、それは今後の文化財保護・活用策に貴重な種をまいたことになる。

二〇〇八年、歴史や伝統が息づく環境の維持向上をねらう「地域における歴史的風致の維持及び向上に関する法律（歴史まちづくり法）」が施行された。また、文化庁は国内二〇地区に委託した「文化財総合的把握モデル事業」を通し、文化財を周辺環境と一体として保存・活用する「歴史文化基本構想」の策定を全国の地方自治体に促している（※地域における文化財の計画的で総合的な保存・活用の促進を意図した二〇一八年の文化財保護法改正は、その延長といえる）。各地で情熱的に展開された世界遺産登録運動をそれらの動きに連動させることができれば、おのずと文化財保護政策のボトムアップにつながっていくはずである。

世界遺産条約本来の趣旨に照らし合わせれば、なるほど、観光振興やまちおこしは副次的なものに違いない[13]。ただ、それを十分理解し咀嚼したうえでの前向きな利用は、文化遺産が秘めた多方面にわたる潜在力を引き出すことにもなろう。一過性ではない文化遺産の有効活用、やがては観光も含めた様々な分野に広がる生産活動への波及も期待されるし、ホストの論理に支えられた理想的な遺産管理と観光との調和が実現できるかもしれない[14]。文化財に携わる者には、その指針づくりへの積極的な関与が求められよう。

確かに、社会全体を網羅する保護意識の醸成までは、まだまだ長い道のりが待っている。しかし、今このときも消滅の危機にある歴史遺産や自然遺産は少なくない。国家的な力をもってしても救えない資産が無数にある。肥大化した世界遺産事業がこれから進むべき方向は、いかにして各資産を支える地域コミュニティを再生し、そこに活力と誇りを注ぎ込んでいけるかという、個々へのアプローチとミクロな視点による概念の構築ではないか。それは、我が国の文化財保護政策の行方と軌を一にするものでもある。世界遺産という巨大な理念と活動を支えるものは、つまるところ、私たち一人ひとりの見識にほかならない。

将来、世界遺産条約は、なんらかの形で発展的解消を遂げる日を迎えるかもしれない。しかし、「世界遺産」という概念が消えるときこそ、遺産は地域の財産かつ全人類の普遍的な存在となり、自発的な意思に基づいて後世に残されるシステムが整った、そう私たちが胸を張って言えるときなのかもしれない。

註

（1）登録物件の増加への懸念については、ケアンズ決議（二〇〇〇年）や蘇州決議（二〇〇四年）など、かねてより議論が重ねられてきたところではあるが、たとえば、ユネスコ事務局長を務めた松浦晃一郎氏の「一〇〇〇を超えるとそろそろ真剣に議論しなければと思います（以下略）」（二〇一一「講演　人類の文化遺産をいかに守るか」『世界遺産学への招待』法律文化社　一七頁）といった発言にみられるように、喫緊の問題として浮上し始めている。

（2）稲葉信子　二〇〇九「第32回世界遺産委員会ニュース」『世界遺産年報２００９』三八–四〇頁

（3）註2前掲書

なお、二〇一一年のパリでの委員会で、二〇一四年に審査される物件以降、一ヵ国から二件申請する場合は、そのうちの一件は自然遺産か文化的景観にすることが決められた。

（4）西　和彦　二〇〇九「第三三回世界遺産委員会の概要」『月刊文化財』五五三　三六–三九頁

（5）ドレスデンの例に類似して、広島県福山市の鞆の浦でも、架橋計画に世界遺産登録運動が絡むことによって地域社会に分断が生じている。世界遺産という「外部の権威」は、場合によっては地域住民の平穏な生活を乱す原因にもなり得ることを十分に理解しておく必要があるだろう（鈴木晃志郎　二〇一〇「ポリティクスとしての世界遺産」『観光科学研究』第3号　五七–六九頁）。

（6）元ユネスコ事務局長の松浦晃一郎氏自身、「逆転」の決め手は、イコモスのネガティブな分析に反論した日本政府が委員会の他のメンバー国に行った積極的な働きかけであり、それがイコモスと日本政府との間にしこりを残した、と振り返っている（松浦晃一郎　二〇〇八『世界遺産――ユネスコ事務局長は訴える』講談社　一三六頁）。

（7）稲葉信子　二〇一一「第34回世界遺産委員会ニュース」『世界遺産年報２０１１』三八–四〇頁

（8）青柳正規・松田　陽　二〇〇五「世界遺産の理念と制度」『世界遺産と歴史学』山川出版社　五–二五頁

（9）二回目の五件のうち、「百舌鳥・古市古墳群」と「金を中心とする佐渡鉱山の遺産群」は調整が必要などとしていったんは追加が見送られ、正式な追加は二〇一〇年にずれ込んだ。

（10）『作業指針』によれば、地域のコミュニティやNGOなどはパートナーと位置付けられており、「登録申請の過程に地域の人々が参加することは、彼らが資産の維持管理において締約国と責任を共有する上で重要である。締約国は、遺産管理者、地方自治体、地域のコミュニティ、NGOその他の関係機関を含む幅広い関係者の参加を得て登録申請の準備を行うことが奨励される」とある。

（11）本中　眞　一九九九「文化と自然のはざまにあるもの～世界遺産条約と文化的景観」『奈良国立文化財研究所学報第58冊　研究論集

X』二三一－二二八頁
（12）中村俊介　二〇〇六『世界遺産が消えてゆく』千倉書房
（13）新井直樹　二〇〇八「世界遺産登録と持続可能な観光地づくりに関する一考察」『地域政策研究』第一一巻第二号　三九－五五頁
（14）西山徳明編　二〇〇四『国立民族学博物館調査報告51　文化遺産マネジメントとツーリズムの現状と課題』、田代亜紀子　二〇一一「遺産保存とヘリテージ・ツーリズム」『考古学ジャーナル』六〇九　二八－三〇頁

政治に翻弄される世界遺産

二〇一五年、ドイツ(ボン)における第三九回世界遺産委員会の報告

『考古学研究』第六二巻第三号(考古学研究会、二〇一五年)

ユネスコ(国連教育科学文化機関)の世界遺産を知らない者は、いまやどこにもいないだろう。世界遺産条約はそれほど市民社会のなかに溶け込んだ存在になりつつある。しかし、後世に残すべき人類遺産を守るためのこのシステムがいま、大きく変質し始めている。国内外で様々な力学が、条約の客観性と公平性をゆがめつつあるのだ。きしむ世界遺産の現状を、政治的観点から展望する。

加速する人気、噴き出す矛盾

日本では世界遺産への関心がすこぶる高い。その名称はすっかり社会に浸透した。旅行会社のパンフレットやテレビの旅番組のタイトルには「世界遺産」の文字が躍り、現地には観光客が押し寄せる。確かに「世界遺産」の看板は据わりのよいキャッチコピーだし、経済的な循環のなかで完全になじんだかにみえる。

それを反映してメディアの扱いも大きい。世界遺産をはじめ、同じユネスコの国際条約である無形文化遺産、条約ではなくプログラムになる記憶遺産(※現「世界の記憶」)事業、ユネスコが支援する世

界ジオパーク、あるいはＦＡＯ（国連食糧農業機関）の世界農業遺産などユネスコ以外の諸制度、はてはＮＰＯや学会などが認定する民間の「〇〇遺産」まで乱立状態である。「遺産」と名が付けば、どんなものでも派手に扱うメディアも見受けられるようだ。毎年どこかで開かれる世界遺産委員会にも日本のマスコミが大挙して押し寄せ、ユネスコ当局から苦情を言われるほどである。

もともと日本において、世界遺産への注目度はそれほど高くなかった。実際、我が国の批准は一九九二年、世界遺産条約が採択された二〇年後である。国内法との兼ね合いや関係省庁間での調整もあったのだろうが、特に文化遺産については、文化財保護法を軸にした既存の高度な保護システムが新たな保護体系を必要としなかった、との見方もある。これには異論もあるが、もしそうだとすれば、少なくともその時点までは、世界遺産があくまで純粋な保護制度として、国内の文化財と同じ概念のなかでとらえられていたことを意味する。

両者の理念は必ずしも合致しない。にもかかわらず、条約への加入は国史跡や重要文化財と世界遺産との間に強引なランキングを促し、それまで見向きもされなかった史跡や文化財が世界遺産候補になった途端、世間の注目を浴び始めるといった現象もみられるようだ。歴史遺産に市民が抱く価値観は広がり、もはや学術的な価値のみを超えたところにある。世界遺産の現状が抱える数々の課題は、そんな認識のずれが表面化した結果であろう（中村二〇〇六）。

さて、世界遺産が国内に導入されるやいなや、認知度は加速度的に増した。民放やＮＨＫの特集番組なども貢献したと思われるが、大きな節目になったのは自治体を対象にした公募制だろう。

文化庁は暫定リストの補充にあたり、それまで文化審議会のトップダウン方式だった選考を、自治体推薦による公募方式に改めた。二〇〇六年、二〇〇七年の二度にわたって公募した結果、全国各地からそれぞれ二四件、三二件の応募があり、合わせて九件が新たに選ばれた。その是非をめぐる詳細は別稿（中村二〇一一）に譲るが、それが自治体同士に過度の競争意識を生み出す要因となったのは想像に難くない。地域コミュニティーの積極的な参加が五つ目の「C」として『世界遺産条約履行のための作業指針』で強調されていることを考慮すれば、公募はある意味、妥当な選択だったといえよう。だが、それは同時に、国内において世界遺産への政治的干渉が始まる端緒だったとはいえまいか。そしてそれは、いま世界遺産で最大の懸念となっている「政治の介入」と密接につながっていくことになった。

世界遺産と政治。この矛盾が一気に噴き出したのが、二〇一五年夏にドイツのボンで開催された第三九回世界遺産委員会であった。朝日新聞取材班の一人として現地で取材にあたる機会を得たので、ここに報告する。

大荒れの世界遺産委員会

七月三日から五日、ボンのワールド・カンファレンスセンターでは新規案件のリスト登録の是非が審議された。日本政府が推薦する「明治日本の産業革命遺産」（以下、産業革命遺産と略）は当初、自然遺産、複合遺産に続く文化遺産のなかで七番目に審査されることになっていた。ところが、韓国との調整が難航、順番の先延ばしを繰り返し、一時は妥結も危ぶまれる状況に陥った。以下は、そこにいたるまでの顛末である。

「産業革命遺産」は九州・山口地域と岩手・静岡の八県が推す、重工業を中心とした二三資産で構成される。具体的には、旧集成館（鹿児島県）や萩（山口県）の反射炉、官営八幡製鉄所（福岡県）、「軍艦島」の名で知られる端島炭坑（長崎県）などで、幕末から一九一〇年までの、ほぼ半世紀にわたる資産群が対象だ。二〇一四年、日本政府が正式推薦し、翌年五月にはユネスコの諮問機関イコモス（国際記念物遺跡会議）が技術的・専門的観点から「登録」を勧告。晴れてボンで登録実現のはずだったが、ことはすんなりと運ばなかった。委員国である韓国が、自国民を強制労働した施設が二三資産のうち七つに含まれるとして猛反発し、登録阻止の行動に出たのである。

韓国側はイコモス関係者に対して激烈な説得工作を仕掛けたとされる。イコモスは建築学などの専門家でつくるNGO組織であり、中立的存在である。そこに特定の国家が公然と働きかけることはその公平性を損なう行為であり、一国がとる紳士的な態度とは言い難い。にもかかわらず、韓国がなりふり構わぬ行動を取らざるを得な

廃墟ファンにも人気の「軍艦島」（長崎県長崎市）

かった背景には、日本に対する弱腰を許さない世論と、弱体化しつつある朴槿恵政権の思惑があったとみられる。摩擦が続く日韓の歴史問題において、新たな外交カードをねらったことも十分に推測されよう。

これに対して日本側も副大臣クラスを派遣して反撃に出たが、先行する綿密で執拗な韓国側の説得工作の前には、時すでに遅しの感もあった。こんな日韓両国の綱引きのなか、イコモスは「産業革命遺産」に二三資産すべてを認める登録勧告を出した。韓国側の猛攻をはねのけての評価で、その毅然とした態度は大いに評価できる。

ところが、これが逆に日韓の溝を深めることになった。もし「情報照会」や「登録延期」という勧告ならば、韓国側は自らの主張を正当化でき、登録実現と引き換えに日本側から実利を引き出すこともできただろう。だが、「登録」の勧告に対して公然と反対することは、世界遺産条約のシステム、ひいては締約国すべてを敵に回すことになりかねない。かといって徹底抗戦を掲げた以上、自国の世論を納得させるためにも、安易な歩み寄りは許されない。国内世論に対して面目が立つ形で軟着陸させなくてはならなかったのだ。日韓協議において歩み寄りをみせたのは、世界からの批判を集中的に受けるよりも、日本側からなんらかの譲歩案を引き出す方が得策だとの判断が働いたからではないか。

一方、「登録」勧告を得たはずの日本も苦しい立場に立たされた。なぜなら、「情報照会」や「登録延期」なら、「まずは登録を」という名目で多少の譲歩も戦略的に許されただろう。ところが勧告がパーフェクトだったために、日本側に譲歩する理由がなくなった。歩み寄りをみせることは、「イコモスの技術的・専門的見地を尊重する」としてきた従来の主張と自家撞着を生むことになるからである。

もし、韓国側が世界を敵に回す覚悟で委員会に臨めば、二つの選択肢が出てくるはずだった。委員国による投票か、審議の先送りである。投票になれば、委員国は日韓どちらかに与することになる。彼らにとって、一方の恨みを買ってまで日韓の争いに巻き込まれることにメリットは何もない。「ほとんどが棄権するのでは」との見方も出たが、十分ありうることであった。

議長国ドイツの判断で審議の先送りが勧告される可能性もあった。そうなれば、「産業革命遺産」の登録は絶望的になる。なぜなら、日本はある程度の発言力を持つ委員国の任期が二〇一五年で終わる。一方、韓国の任期は二〇一七年までだ。状況がよほど好転しない限り、少なくともこの年までは韓国は「産業革命遺産」の登録を認めない。たとえ韓国の任期が切れても、暫定リストに多数の推薦候補が控えてい

日韓両国の主張がぶつかり合ったドイツ・ボンでの世界遺産委員会

るなか、外交的に「爆弾」を抱えてしまった「産業革命遺産」を、あえてリスクを冒してまで日本政府が再提出するかどうかは疑問だ。つまり、日本側にとっても、二〇一五年が事実上の一発勝負だったわけである。

イコモスに登録を勧告されながら審議先送りになった案件は、国境地帯にあってその帰属が問題となった「ダンの三連アーチ門」（イスラエル申請）くらいで、異例中の異例。国境問題が解決しない以上、その登録は事実上、不可能とされる。日本側にとっても、同じ轍を踏むことだけは避けたいのが本音だった。

日韓両国はお互いに振り上げた拳をおろせないまま、政治的な妥協を探る水面下の工作を始めた。その結果、世界遺産委員会が始まる一週間前、六月二一日の外相会談で、韓国が提出している「百済の歴史遺跡地区」と合わせてお互いが尊重しあうことで、急転直下、事態は沈静したかにみえた。ところが詳細な事務レベルの調整が取り残されていたため、現地で両国の認識の違いが表面化したのである。

再燃の発端は、審議の際に両国が交わすスピーチについて、日本側が韓国側の文言を問題にしたことだった。韓国側の文面に、強制性を意味する「forced labour（強制労働）」という言葉があるのを日本側が問題視したのである。日本側にとって「徴用工」をめぐる問題は、国家総動員法に基づく国民徴用令において、当時の日本の一角をなした朝鮮半島の人々にも合法的に適用されたのだから、そこに強制性はないとの立場だ。だから、この文言を見過ごすことは韓国内で相次ぐ徴用工関連の賠償請求訴訟に影響を与えかねない、と懸念したとみられる。一方、韓国側は、スピーチの内容は自主的なもので他国に干渉される筋合いはない、と突っぱねた。

そうして両国は落としどころを探りつつ、賛同してくれる委員国の獲得競争に走らざるを得なくなった。それが着地点を見いだせない膠着状態を生んだ。穏やかに審議が進む他の物件と対照的に、「産業革命遺産」の審議日程は大幅にずれ込み、現地は先が見通せない緊迫した様相に突入した。順番からすれば、早ければ三日の夕、少なくとも翌四日の午前と思われた審議が午後の見通しになり、さらに最終日五日へ、最終的には時間切れ寸前の午後三時（現地時間）にまでもつれ込んだ。その間、日韓の代表団は会場内外を走り回ってギリギリの折衝を続け、我々報道陣もそれを追いかける状況が続いた。関係自治体が派遣した職員たちも、なかなか情報が入ってこずに困惑するばかりだったようだ。

現場では、議長国のメンツにかけて混乱を望まないドイツが両国に歩み寄りを促し、委員会の国々も円満な解決を強く迫った。そのかいあって、土壇場でようやく登録にこぎ着けたわけだが、結局、両国が選んだのは、韓国側がこだわった「forced labour」の代わりに「forced to work」という英語表現を採用し、それをそれぞれ自国に都合よく解釈する方法だった。しかしこの「玉虫色」の決着は当然火種を残し、両国内で摩擦を再燃させることになったようだ。一連の騒動は、国の利権が絡む政治介入の醜さ、それをユネスコという場に持ち込んだ愚かさを、世界中に印象づけてしまったといえよう。

つば競り合う国益

いま一度、おさらいしてみよう。焦点は、戦時中七つの構成資産に朝鮮人労働者が「徴用工」として動員された際、強制性があったか、なかったか。「強制」にこだわる韓国とそれを認めない日本が、どう折り合いをつけるか、だった。それ以前に、資産の対象を一九一〇年までに限定する日本側と、一部資産の活動が継続し、稼働資産さえ含む以上、戦時中まで対象期間を拡大するべきだという韓国側との、根本的な見解の相違があった。そうして、歴史認識という日韓が抱える最大の外交問題が、それとは何の関係もない、平和を希求するはずの世界遺産条約の国際会議を舞台に繰り広げられた。日韓の「場外乱闘」は第三国を巻き込みながら、リアルタイムで世界中に配信される結果となった。

韓国側による強引な働きかけには首をかしげざるを得ないが、日本側の脇の甘さも否めない。「産業革命遺産」が区切る一九一〇年とは、よりによって韓国併合の年であり、故意に火種を取り除こうとしたと韓国側に邪推されてもしかたがない。同じユネスコの「記憶遺産」で、鹿児島県南九州市が手を挙げた「知覧からの手紙　知覧特攻遺書」（当時）に対する前年の中国や韓国の反発を踏まえれば、今回の反応も十分予測できたはずである。

そもそも、「産業革命遺産」をめぐる混乱は、二〇一三年の国内選考時からあった。内閣官房がまとめる「産業革命遺産」と、従来、世界文化遺産の選考を仕切ってきた文化庁の推す「長崎の教会群とキリスト教関連遺産」が、一つの推薦枠をめぐって激突した経緯がある。地元自治体を巻き込んだ綱引きの末に「産業革命遺産」が推薦をもぎ取ったものの、教会群を推す側からは「政治決着だ」との不満が噴き出した。政治介入が生んだ混乱という点では、ボンにおける国家間の争いはこの延長上でとらえることができるし、それがさらに発展したものとみてよい。

保護理念をゆがめる政治力学

いま、世界遺産では政治介入が問題化している。特に文化遺産の分野で、イコモスの評価と世界遺産委員会の決定とが異なる例が続出し、審議のあり方が問われているのだ（稲葉二〇一二）。これまでは「情報照会」や「登録延期」の勧告が、委員会で「登録」へ昇格することが多かったため、問題化することはほとんどなかった。ところが今回は逆に、イコモス勧告で「登録」とされたものが、委員会において覆されかねない事態となったために注目を集め、問題が一気に表面化したといえる。考えようによっては、今回の世界遺産委員会は世界遺産と政治との関係を再考する貴重な機会を与えてくれたともいえよう。

もとより、世界遺産は政治的圧力を受けやすい。人類共通の財産といいながら、現実的には、その選択がそれぞれ思惑を持つ国々の代表にゆだねられているジレンマを抱えるからだ。国際条約である以上、政治がかかわるのはむしろ当然だし、条約が内包する根本的な矛盾といえ、この現実から逃れることはできない（青柳・松田二〇〇五）。しかし、世界遺産が掲げる「顕著な普遍的価値（ＯＵＶ）」は国境を越えたところにあるはずだ。であるならば、ユネスコや国際社会は、功罪を抱える政治とうまく付き合っていく術を模索するしかない。

世界遺産は大きな曲がり角に来ている。登録件数が膨張するのとは逆に、その理念さえ揺らぎ始めている。ヌビア遺跡群の救済キャンペーンに端を発する条約の成り立ちを考えれば、危機にさらされている遺産を守ることが第一義であるべきことに今後とも変わりはない。しかし近年は、この原点が忘れ去られ、むしろ副次的な観光や地域振興の側面ばかりが増大しているように思われる。

確かに、そんな一面もまた世界遺産が持つ価値であることは否定できないし、ここまで世界経済に取り込まれた以上、それを無視することはできまい。むしろ、それらとどう付き合っていくかが避けられない課題であり、二〇一二年に京都で開催された条約採択四〇周年記念の国際会合でも、世界遺産のこれからを占うための指針として「持続可能な開発（Sustainable Development）」、すなわち、地元コミュニティーに支えられた観光や地域振興との共生の重要性が決議されたところである（文化庁記念物課世界文化遺産室二〇一三）。ただ、文化遺産をめぐる諸施策が、期待以上の地域の利益誘導に必ずしも結びつくものではないことを忘れるわけにはいかない（澤村二〇一〇）。

ともすれば敵対関係にあった遺産の保護と開発行為だが、広い意味での両者の歩み寄りが不可避になりつつあるのは確かだ。である以上、そこには常に政治的介入の芽が潜んでいる。もはや文化遺産が社会と切り離されて存在できない時代の潮流のなかで、様々な形の圧力にどう対応していくか。多角的な視点がますます不可欠になってくるだろう。

おわりに

世界遺産はすでに一〇〇〇件を超え、今後どこまで膨らみ続けるかはわからない。先進国も含めてそれが国威発揚の具として有効ならば登録合戦はこれからも続くであろうし、一九九四年のグローバル・ストラテジーにおいてユネスコが西欧偏重の是正を謳う以上、登録遺産を多く持たないアフリカやアジア、南米などの発展途上国は、より多くの登録を求め続けるであろう。後者の場合、それが国内の保存管理体制の不備にもかかわらず無節操な登録を許す原因にもなっているし、へたをすればそれがかえって危機遺産への道をたどらせる遠因ともなりかねない。

イスラム原理主義政権タリバーンの支配下にあったアフガニスタンのバーミヤンやＩＳ（過激派組織「イスラム国」）が侵攻したシリアのパルミラの例をみるまでもなく、国際社会が歴史遺産の大切さを叫べば叫ぶほど、それらは紛争の取引材料になってしまうという皮肉な事態まで起こっている。人類の財産を守るはずの世界遺産システムが、逆に歴史遺産を危機に追い込む状況を生み出しているのだ。これもまた広い意味で、国際政治力学による負の産物といえるだろう。これらの現実を前に、国内外で知の結集と協力が求められている。ユネスコという国際機関に特定国家間の争いを持ち込んでいる場合ではないのである。

世界遺産は今後、どう政治と向き合うのか。私たちは、真剣に考える時期に来ている。

参考文献

青柳正規・松田　陽　二〇〇五「世界遺産の理念と制度」『世界遺産と歴史学』山川出版社
稲葉信子　二〇一一「第34回世界遺産委員会ニュース」『世界遺産年報２０１１』社団法人日本ユネスコ協会連盟
澤村　明　二〇一〇『文化遺産と地域経済』同成社
中村俊介　二〇〇六『世界遺産が消えてゆく』千倉書房
中村俊介　二〇一一「曲がり角の世界文化遺産――登録物件の増加にともなう条約理念の変質」『遺跡学研究』八　日本遺跡学会
文化庁記念物課世界文化遺産室　二〇一三「世界遺産条約採択四〇周年記念最終会合および成果文書『京都ビジョン』について」『月刊文化財』五九五　第一法規

世界遺産は生き残れるか

『考古学研究』第六四巻第三号（考古学研究会、二〇一七年）

二〇一七年七月、ポーランドの古都クラクフのＩＣＥクラクフで、ユネスコ（国連教育科学文化機関）の第四一回世界遺産委員会が開かれた。審議には「『神宿る島』宗像・沖ノ島と関連遺産群」（福岡県）も含まれ、文化遺産に登録された。その経緯には曲折をともなったが詳細は別項にゆずるとして、世界遺産が抱える諸課題もまた浮かび上がった。

世界遺産の前途は険しい。増え続ける登録数はついに一〇七三件（※執筆当時）に達し、審査は年々厳しくなる一方で、登録に必須条件となる「ＯＵＶ（顕著な普遍的価値、Outstanding Universal Value）」を十分に備えていない候補も散見されるようだ。しかし、この現状が一般市民に認知されているとは言いがたい。それが結果的に世界遺産の美点と利点のみへ世間の関心を集中させ、幻想だけを独り歩きさせることになっている。世界遺産に絡みつき、もはや切り離せない観光産業界やメディアによる無責任な助長も無関係ではない。

筆者は朝日新聞編集委員として、クラクフでの取材を含めて一連の報道に携わってきた。本稿では最新の課題と世界遺産の将来を考察したい。

噴き出す矛盾と「制度疲労」

世界遺産を取り巻く国際情勢に目を向けてみよう。制度疲労とでもいうべき矛盾が噴出し始めていることに気づくはずだ。それは条約の理念を揺るがし、「制度としては寿命を迎えた」との指摘さえ出ている。以下、懸念材料をいくつか列挙する。

喫緊かつ最大の課題は、どこまで登録数の上限を許容するか、だろう。もちろん青天井も選択肢のひとつではある。だが、それは世界遺産リストの希少性や代表性と抵触し、条約理念の変質を促す。遺産保護制度の存立を危うくし、ユネスコの運営に与える影響も小さくない。

そもそも世界遺産は、ダムに沈むエジプトのヌビア遺跡救済キャンペーンに端を発し、一九七二年に採択された国際条約だ。人類が残した足跡を対象とする文化遺産、地球が育んだ希少な環境を対象にする自然遺産、その両方の性格を兼ねた複合遺産の三種類をリストに記載する。登録の可否に決定権を持つのは二一カ国の代表で構成する世界遺産委員会で、その審議の行方を左右するのがユネスコの諮問機関の評価である。自然遺産はＩＵＣＮ（国際自然保護連合）、文化遺産はイコモス（国際記念物遺跡会議）が担当し、委員会の六週間前までに「登録」から「不登録」まで四段階の評価を「勧告」することになっている。

世界遺産条約はその注目度から、ユネスコの条約で最大の成功例ともいわれる。だが、人気の高まりとともに年々増加し続ける現状は、登録資産への十分な保護管理やそれにかかる資金の確保を難しくし、事務作業にも支障を来し始めた。そこでユネスコは登録の抑制策を打ち出したが、それは必然的に審査の厳格化を生んだ。従来、推薦枠は一国二件まで、そのうち少なくともひとつは自然遺産か文化的景観とされてきたが、昨年のパリでの会合では、一度に審査できる上限を現行の四五件から三五件に減らして一国一件に制限することが決まった。また、委員国は任期中の推薦自粛も求められている。

もちろん、『世界遺産条約履行のための作業指針』（以下、『作業指針』と略す）は登録数の上限を設けているわけではない。だが事実上、数の増加は相対的な価値の低下を引き起こす。景観維持など厳しい規制が課せられる世界遺産だけに、それを守るだけの経済的メリットがなければ各資産への関心は薄れ、遺産の保護という本来の目的さえ失うことになる。

それはすでに現実となっており、保護より開発を優先した「アラビアオリックスの保護区」（オマーン）や、景観より架橋を市民が望んだ「ドレスデン・エルベ渓谷」（ドイツ）など、リストからの抹消例が出てきた。開発や生活環境の改善と世界遺産の「看板」が両天秤にかけられた末に「遺産」が切り捨てられたわけだ。ウォーターフロント開発が進んで危機遺産になった「海商都市リバプール」（イギリス）など、いまも開発に揺れる資産はあり、削除傾向が加速しないとも限らない（※リヴァプールは二〇二一年、削除の三例目となった）。

環境の整備やよりよい暮らしの追求は地元社会の当然の権利であり、非難されるべきものではない。ただ、その選択肢の決定に地域社会の参画を促すことは住民の意思を尊重することにほかならず、市民が世界遺産を放棄してまで生活の向上や利便性を選ぶことも肯定せざるを得ない事態として想定しておく必要がある。一古墳の参加を所有者の意思が左右した「宗像・沖ノ島」の事例も、そのひとつと言えるだろう。要するに、人類共通の宝というユネスコの建前に、地元社会や所有者の意向が必ずしも一致するとは限らないのだ。

登録数の地域偏重も続く。世界遺産では耐久性の高い欧州の石造り建造物が多数を占め、もろい木や土からなるアジアやアフリカの物件は少ない。ヴェニス憲章に基づいてオリジナル素材が重んじられてきたためで、世界遺産条約もまたこの西欧的な価値観に発している。

しかし、限定的で狭隘な価値観はやがて世界遺産の広がりとともに行き詰まりを見せ始める。伝統技術の継承による木造建築の価値を認めた奈良ドキュメント(一九九二年)などが出される一方で、ユネスコは一九九四年にグローバル・ストラテジーと呼ばれる戦略的指針を策定して地理的偏重の解消にも乗り出した。が、今日において全面的に是正されたとは言いがたく、むしろこの方針自体が新たな懸念を惹起させることになった。すな

歴史的な建造物と近代的な建物が入り交じる英リヴァプールのウォーターフロント

わち、地域偏重の是正を急ぐことが、発展途上国が求める世界遺産の〝誘致〟に有利に働き、登録の大前提であるはずの国内の保護制度が必ずしも整っていない国々にも乱発されることになったのだ。その背景に、イコモスに比べて保護管理を軽視しがちな委員会の傾向を指摘する見解もある。

加えて、相変わらずの危機遺産軽視も気になる。世界遺産には「危機遺産リスト」が設けられており、二〇一七年現在五四件が登録されている。戦火で破壊されたバーミヤン（アフガニスタン）やパルミラ（シリア）などは当時のセンセーショナルな報道でよく知られる一方、ほとんど知られていないケースも少なくない。

そもそも危機遺産リストは国際社会全体で危機に瀕した遺産を守るための枠組みであり、条約の根幹をなすものだ。ところが、各国にはそれを自国の汚点とみなして避ける傾向があり、リスト記載には関係国の反発も強い。それが、国際社会が一丸となった保護施策を阻害する要因になっているのは否めないだろう。

観光産業や経済活動のゆがんだ肥大化は言うまでもない。経済活動への取り込みがマイナス要因のみかといえば、もちろんそうではない。観光や地域興しが保護意識を内外で高める効果は小さくないのだから、要は両立の問題である。条約採択四〇周年を飾った二〇一二年の「京都ビジョン」でも、いわゆる持続可能な発展の必要性が謳われ、観光や地域振興との両立がテーマになった。

しかし、問題はそう単純ではない。国内の世界遺産において観光集客の継続的な効果はほとんどないといった分析結果があるし、「コルディリェーラの棚田群」（フィリピン）のように、登録をきっかけに加速した観光化が遺産の維持に必要な労働力の不足を招いた皮肉な例もある。マスコミ報道によく散見する「地域興しや観光に弾みがつく」といった地元首長らの思い込みと過度の期待は、やがて厳しい現実の前に失望となり、遺産維持のモチベーション低下へとつながりかねない。

地域社会の変質も深刻だ。『作業指針』には戦略的目標として「五つのC」がある。その一つが「コミュニティー」であり、資産の維持管理に地域社会の活用を重視し、地元の人々に積極的な参画を促すのがねらいだ。ところが今日、この地域社会自体が戦争や過疎化、生活様式の変化、グローバリズムの波などで衰退、あるいは崩壊しつつある。それは伝統技術や慣習・祭祀、芸能などを対象にした無形文化遺産にもダメージを与えている。

考えてみれば、時の流れとともに無数の文化が生まれては消えたはずだ。人間社会がそれをもはや不要とみなしたとき、消滅あるいは変質していくのは、むしろ自然の理といえよう。したがって世界遺産とはある意味、宿命とも言える必衰の流れに抗う

山間部で生業が営まれているコルディリェーラの棚田群（フィリピン）
維持には不断のメンテナンスが求められる。

ものなのかもしれない。けれど、その反自然的な行為は、成熟した人類社会だからこそ可能な、それ自体が文化と言える創造的な営みでもあろう。すなわち、この制度そのものが今を生きる我々の文化的営為であり、後世への遺産にほかならない。そう前向きにとらえ、過去から現在までの人類文化の痕跡をあえて現時点で凍結し、未来に残すのならば、遺産を支える地域社会という土台をどう立て直すかは現代社会の避けて通れない責務だ。待ったなしの対策が急がれる。

顕在化する政治的力学

世界遺産委員会ではイコモスの学術評価が政治力で覆される事態が常態化している。全体の八割近くを占める文化遺産は自然遺産に比べて国家や民族意識の高揚と結びつきやすい。二〇一六年のイスタンブールでの委員会ではイコモスが出した八件の「登録延期」勧告（複合遺産を含む）のうち六件が「登録」に〝格上げ〟され（二件は取り下げと情報照会）、今年のクラクフでも「登録延期」「情報照会」勧告の過半数が「登録」になった。そこに早期の登録実現を期待する推薦国の意向が働いているのは容易に想像がつく。

　これに対し、諮問機関の学術的評価がないがしろにされているとの批判は根強い。確かに、純粋な価値判断が外部圧力によってゆがめられることは好ましくないし、その懸念も理解できる。ただ、そもそも世界遺産条約は国際条約なのだから、決定権を持った世界遺産委員会を担う外交官らが登録の実現を国益とみなして政治的に折衝するのはやむを得まい。

　延期勧告を受けながら逆転登録となった「石見銀山」の場合、多くの鉱山遺跡が環境破壊をともなうのに比べてここでは豊かな緑を今も保持していると、環境への優しさをアピールしたことが功を奏したとされる。「宗像・沖ノ島」において、信仰という無形要素が切り離せないとの日本の主張に理解を示し、イコモスの専門的見解を覆して八資産まとめての一括登録を決めたのも、結局は研究者や専門家ではない委員会各国の代表だった。私たちは世界遺産に過度の純粋性や客観性を求めるべきではないし、世界遺産とはつまるところ国際政治の産物であることを忘れるべきではない。

だが、近年それがエスカレートし、特定国家間の外交摩擦が委員会に持ち込まれる例が目立つようだ。二〇一五年の「明治日本の産業革命遺産」をめぐっては、韓国が、戦中に自国民が「強制」労働させられた施設が含まれていると反発。日韓両国のつばぜりあいがボン（ドイツ）で開かれた委員会を舞台に繰り広げられた。ユネスコの独自事業である「世界の記憶」では、「南京大虐殺」や「慰安婦」関連の資料が隣国との火ダネになり、制度に政治的な偏りがあるとして日本のユネスコ脱退を主張したメディアさえある。

ユネスコや諮問機関への疑念が世界的に敷衍し始めているのも気になる。はたして現在の審査制度は信用できるのか、価値付けの正確さ、公平性や客観性は担保されているのか。そんな世界遺産システム自体への不信感があちこちで頭をもたげ始めているのだ。特に文化遺産において深刻で、背景には多くの推薦候補のエントリーに苦慮するイコモスの限界が見え隠れする。エジプトのピラミッドや西欧の教会群など有名な物件が出尽くすにつれて候補の内容は多様化し、認知度が低く価値がわかりづらい物件が増えているからだ。

もともとイコモスは、ヴェニス憲章を受けて一九六五年に設立された非政府組織で、建築史や考古学、保存科学など様々な分野の専門家ら一万人近くの会員で成り立つ。ユネスコの諮問機関とはいっても緩やかなネットワークでつながった個人の集団だけに、ボランティア的に評価作業を受け持つ担当者の負担は大きい。ゆえに評価対象の複雑化への対応が追いつかず、審査される国々からの信頼が揺らいでいるとの指摘がある。加えて、イコモスの勧告が委員会の直前までわからないことに対し、多くの予算をつぎ込み長い準備を重ねてきた推薦国は不満を募らせているともいう。

イコモス側もそれを自覚してか、勧告前に推薦国との「対話」に乗り出し、中間報告も始めた。昨年、「長崎の教会群とキリスト教関連遺産」（旧称）の推薦がイスタンブールでの委員会を前にいったん取り下げられたのは、イコモスの厳しい評価が伝えられたことによる。この結果、イコモス勧告が「登録」と「登録延期」に二極分化する傾向が顕著となった。「対話」に関しては、露骨なロビイングの減少を期待する声がある一方で、前述のようにイコモスが難色を示した物件の多くが登録される傾向も見受けられ、「真に受けた国はばかを見た」との批判も聞かれた。「対話」の効果のほどは、いまだ未知数と言わざるを得ない。

岐路に立つ国内戦略

こんな状況のなかでも、国内の世界遺産人気は衰えることを知らない。推薦の前提となる暫定リストには政府の推薦を待つ資産がいくつも控え、新たに登録運動に乗り出す地域や自治体もある。だが、審査の厳格化は日本の世界遺産戦略にも影を落とし、ますます先が読めなくなっている。

日本の条約批准は一九九二年。当初は登録勧告から登録決議へとスムーズに流れていたが、イコモスが「石見銀山」に延期勧告を出した二〇〇七年以降、厳しい評価が目立ち始めた。二〇〇八年の「平泉」は延期勧告がそのまま委員会決議となり、登録は三年後にお預けとなった。二〇一三年には「鎌倉」が不登録勧告を受け、国は将来に可能性を託して推薦書を取り下げた。前述のように、二〇一六年は夏に審査予定だった「長崎の教会群」に対してイコモスから勧告前に厳しい状況が伝えられ、いったん推薦を撤回する事態となった。

暫定リストには現在九件（自然遺産候補を含む）がひしめく（※執筆時）。だが、彦根城は一九九二年の記載以来、足踏み状態が続くなど、記載物件を擁する自治体は先の見えない長期戦に疲弊し、予算獲得やモチベーションの維持に苦労している。

長い世界遺産登録活動を続けてきた彦根城（滋賀県彦根市）

二〇〇六、〇七年、文化庁は暫定リストの新規追加のため、立候補を全国の自治体に募った。地方分権の流れに鑑みれば自然な成り行きだったとも言えるが、近年悩ましい事態が表面化している。たとえば「宗像・沖ノ島」のように除外条件付き登録勧告が出た場合、構成資産を抱える複数の自治体間で明暗が分かれるケースも多くなるだろう。実際「宗像・沖ノ島」では、イコモス勧告を受け入れれば古墳群を有する福津市は切り捨てられかねなかった。関係自治体は応募以来活動をともにしてきた〝盟友〟だけに、そう簡単に応じるわけにはいかないとの心情も理解できるが、それがブラッシュアップ時の足かせになる危険性があるのなら、それを見据えたうえでの国の、より積極的な主導や調整が求められるだろう。事実、代表性と希少性を打ち出せずにもがく「北海道・北東北の縄文遺跡群」のように、もはや自治体だけでは対処が難しいケースも現れている。

公募制に基づく現行制度のジレンマは国内手続きだけの問題ではない。ユネスコは国境を越えた複数国の共同提案、いわゆるトランス・バウンダリーの推薦を推奨しており、二〇一四年登録の中国とカザフスタン、キルギスによる「シルクロード：長安―天山回廊の交易路網」はその典型例だ。だが、シルクロードの終着点を自負する日本はそこに含まれていない。一部の研究者らには「このままでは日本は外されてしまう」との焦りと危機感が見える。仮に、中国から東へ延びるルートの登録を韓国などと一緒に模索しようとしても、その手立てがないのだ。

海外との共同提案となると外務省など複数官庁の協力も必要となり、特に文化遺産においては現行制度と異なる枠組みや複数のチャンネルが不可欠となろう。大陸をまたいで昨年登録された「ル・コルビュジエの建築作品」には国立西洋美術館（東京）も含まれるが、これは海外からの呼びかけに我が国が応じたものであり、日本から積極的に外国へ共同提案を持ちかけるシステムにはなっていない。国境を越えてつながる広域資産群の増加を前に公募制は限界を迎えているようだ（※二〇二一年、文化審議会は「我が国における世界文化遺産の今後の在り方（第一次答申）」において、暫定リストの追加で資産の公募は行わないことを決めた）。

この夏、二〇一九年の登録をめざして「百舌鳥・古市古墳群」の推薦が決まったが（※この年、登録が実現）、では、そのあとに続く候補はどうなるか。「縄文遺跡群」に決定的な打開策は見えないし、暫定リスト記載から四半世紀を迎えた「彦根城」は依然、店晒し状態が続く（※「縄文遺跡群」は二〇二一年に登録。「彦根城」も早期登録をめざしている）。根底からの練り直しが避けられない「鎌倉」の行方も見えない。多くの曲折を経験した「潜伏キリシタン関連遺産」のような例が増えるかもしれない。ＯＵＶを満たさずに登録が見込めない候補が増えれば、やがては毎年一件を推薦することもできなくなる。地域の要望に押されるがまま惰性的あるいは義務的に推薦を続ける時代では、もはやない。

世界遺産の理念が日本の文化財保護制度に及ぼした影響は小さくないし、我が国が様々な刺激や考え方をそこから享受したことも否定できない。「点」として認識されてきた単体の構造物を、周辺環境も含めた「面」でとらえようとする近年の潮流は、世界遺産のバッファーゾーン設定の概念や文化的景観のコンセプトに通じるし、地域コミュニティーの重視は、文化庁が打ち出した歴史文化基本構想の手法にも通じる。廃墟となった炭鉱の島「端島（軍艦島）」など、大規模な近代化遺産で文化財指定が進んだことにも世界遺産の影響を無視できまい。また、指定文化財以外への保護対象の広がりは、文化庁以外の省庁の参入を促す。「明治日本の産業革命遺産」では稼働中の工場施設が文化財ではないため内閣官房が主導したが、このような文化財保護法から外れた「文化遺産」の増加も予想され、それに対応できる新たな保護体制の充実が急務となっている。

　文化財保護法に基づく国内制度とユネスコ条約とでは、もともと成り立ちも理念も違う。しかし、グローバリズムの進展は両者の垣根を取り払いつつある。お互いの欠点を補完しつつ、自らをより普遍的かつ汎世界的な制度へと止揚させるべき時代が到来したと言えそうだ。

　世界遺産制度は数々の課題にあえいでいる。だが、これらの解決や新たな遺産保護制度の構築に日本が貢献できることも少なくないはずだ。効率的な資産保護・管理に向けて、国内制度に見られる、「指定」より規制の緩い「登録」のようなカテゴリーを設けてはどうか、との提言も出ているように漏れ聞く。ユネスコへの貢献は、なにもトップクラスの拠出金や個別資産の修理・復興費用の捻出だけではない。自国の保護制度の充実に世界遺産が提示するモデルを必要としている発展途上国はまだまだ多いはずだ。我が国が世界遺産条約を通じて、それらの国々にソフト面で寄与できるならば積極的に援助するべきだろう。

　人類遺産の保護はいまや一国で完結する時代ではない。そろそろ私たちは、国内の世界遺産登録の行方に一喜一憂するような近視眼的で受け身の視点から脱し、世界に目を広げてユネスコをサポートしつつ、未来の保護体制の構築を主導するだけの実行力と矜持を持ってもいい。日本の世界遺産戦略は、大きな岐路を迎えているのである。

参考文献

澤村　明　二〇一六「世界遺産登録と観光動向（修正加筆稿）」『新潟大学経済論集』第一〇〇号
下田一太　二〇一七「第四〇回世界遺産委員会の概要」『月刊文化財』六四〇号
東京文化財研究所　二〇一五『平成二七年度文化庁委託　第三九回世界遺産委員会審議調査研究事業』
中村俊介　二〇〇六『世界遺産が消えてゆく』千倉書房
中村俊介　二〇一一「曲がり角の世界文化遺産―登録物件の増加にともなう条約理念の変質」『遺跡学研究』第八号
中村俊介　二〇一五「政治に翻弄される世界遺産―二〇一五年、ドイツ（ボン）における第三九回世界遺産委会の報告」『考古学研究』第六二巻第三号
中村俊介　二〇一七「MONDAY解説　増える世界遺産　抱える矛盾」『朝日新聞』（五月二二日付朝刊）
西村幸夫・本中　眞（編）二〇一七『世界文化遺産の思想』東京大学出版会
プレック研究所　二〇一七『平成二八年度文化庁委託　第四〇回世界遺産委員会審議調査研究事業』

「宗像・沖ノ島」と世界遺産

『季刊考古学・別冊27　世界のなかの沖ノ島』（雄山閣、二〇一八年）

「『神宿る島』宗像・沖ノ島と関連遺産群」（福岡県、以下「宗像・沖ノ島」）がユネスコ（国連教育科学文化機関）の世界文化遺産に登録された。念願の登録実現に地元はわいたが、世界遺産を取り巻く現実は厳しい。

実際、「宗像・沖ノ島」の評価もすんなりとはいかなかった。審議に先立つ諮問機関の勧告では半数の資産に除外条件がつき、推薦国と世界との認識の食い違いを見せた。価値観が割れるなかでの、綱渡りだったのである。その傾向は近年の推薦案件一般に敷衍できるものであり、「宗像・沖ノ島」の登録過程は、ＯＵＶ（顕著な普遍的価値、Outstanding Universal Value）という、とらえどころのない概念をめぐって表面化する諸課題と矛盾の一端を如実に反映したといえるだろう。

二〇一七年夏、ポーランドの古都クラクフで第四一回世界遺産委員会が開かれ、登録数は一〇七三件に達した（二〇一八年春現在）。本稿では、現地取材など一連の報道に携わるなかで筆者が見た世界遺産の現実を、「宗像・沖ノ島」の登録までの経緯を交えて報告したい。

登録決定に至る経緯

世界遺産とは、ダムに沈むエジプトのヌビア遺跡救済キャンペーンに端を発し、一九七二年に採択されたユネスコの国際条約だ。人類が残した足跡を対象とする文化遺産、地球が育んだ希少な環境を選ぶ自然遺産、その両方の性格を兼ねた複合遺産の三種類をリストに記載する。その可否に決定権を持つのは二一カ国の代表で構成する世界遺産委員会で、審議の行方を左右するのがユネスコの諮問機

記紀神話が息づく沖ノ島（福岡県宗像市）

島内のあちこちに点在する神秘的な巨石
神が降臨するための磐座（いわくら）だったのかもしれない。

関の評価である。自然遺産はＩＵＣＮ（国際自然保護連合）、文化遺産はイコモス（国際記念物遺跡会議）が担当し、委員会開催の六週間前までに「登録（記載）」から「不登録」まで四段階に分かれた評価を「勧告」する。その結果をふまえて世界遺産委員会が開かれ、推薦案件を審査することになる。イコモスは、建築や考古学といった世界中の専門家がつくる国際ＮＧＯである。

日本の条約批准は一九九二年。登録は法隆寺や姫路城から始まり、福岡県や宗像市、福津市が名乗りを上げた「宗像・沖ノ島」は、文化遺産と自然遺産を合わせて国内二一件目となった。政府推薦の前提となる暫定リストへの記載は二〇〇九年。以後、推進会議や専門家会議が発足し、世界との比較検討や過去の調査研究の洗い直しが進められる一方、登録運動を盛り上げるための市民向けシンポジウムなどが盛んに開かれた。

二〇一五年、国の推薦が決定。最終的に構成資産は、沖ノ島と二つの岩礁、大島の沖津宮遥拝所と中津宮、本土の辺津宮、古代宗像族の奥津城とされる新原・奴山古墳群の八資産に絞り込まれ、二〇一六年一月にユネスコに推薦書が提出された。沖ノ島崇拝の伝統が東アジアの対外交渉が進んだ時期に発展し、海上における安全を願う伝統と絡みながら今日まで継承されてきた稀有な物証であり、沖ノ島における古代祭祀遺跡の良好な保存状態や現代まで続く信仰の場としての宗像大社の存在意義が強調されている。

二〇一六年九月にはイコモスの調査員による現地視察、それにもとづく翌年五月のイコモス勧告をへて、七月初旬にクラクフのＩＣＥクラクフで開かれた第四一回世界遺産委員会での審議、そして登録決定、という運びになった。

突きつけられた「条件」

世界遺産はその登録物件の増加にともなって、様々な課題に直面している。と同時に、審査物件の性質も複雑化しているように思える。今回の「宗像・沖ノ島」で象徴的だったのは、従来の世界遺産を代表してきたイメージ、いわば「型」の変質ではなかったか。美しいとか壮大な、といった単純なとらえ方だけでは、もはや対応できなくなっている、ということである。

資産が多様化するいま、それも自然な成り行きのように思えるが、内容の広がりが特定資産の実態を曖昧にし、選定に携わる関係者らを悩ませているのが現実だ。建造物や遺跡といった不動産が対象の世界遺産において、無形的な要素はどれだけ考慮されるのか、という問題も改めてあぶり出されたように思う。

委員会の審議に先立ってイコモスが五月に出し

沖ノ島が審査されたポーランド・クラクフでの世界遺産委員会

た勧告では、登録は支持するものの、八つの構成資産のうち沖ノ島本体（島に付随する三つの岩礁を含む）以外を外すべきだとの評価が下され、宗像大社を構成する三つの社に「当落」の線引きがなされた。すなわち、それぞれの社にひと柱ずつまつられた宗像神の三姉妹は〝泣き別れ〟になり、三柱でひとつが当たり前だと思い込んでいた関係者を愕然とさせた。

近年の新規物件では、信仰や祭り、伝統的生業や技術といった無形要素を考慮しなければ本質を理解できない例が増えているように思う。「宗像・沖ノ島」もまた、このタイプに属するといえるだろう。その根幹は信仰の継続という、目に見えない要素であり、今に息づく信仰があって初めて存在意義が生まれる。厳しい宗教的禁忌がなければ五〇〇年もの長きにわたる古代祭祀遺跡は残らなかっただろうし、現在まで続く宗像大社への崇敬がなければ、千年以上にわたって島の神聖性は保てなかったはずだ。

すなわち、信仰という無形的な側面は「宗像・沖ノ島」のOUVに欠かすことのできない重要ピースであり、その証明は登録へ向けた必須の作業であった。

だが、その独特な精神世界を、異なる宗教概念や信仰を持つ海外の人々に十分理解してもらうには困難がともなう。たとえば、一神教の信仰にどっぷり浸かってきた人が多神教の理念を正確かつスムーズに理解するのは難しいだろう。必然的に、面倒な信仰や精神世界への論及がなおざりにされがちとなるのもやむを得ない。ユネスコが重視する多様性の背後にはそんな難しさがあり、同時にそれを克服するための努力が求められるのだ。

実際、今回のイコモス勧告も外面的な考古学的遺構や建物としての社殿などの評価を重視した感がある。また、沖ノ島が四世紀から一〇世紀までの古代祭祀を凍結保存したタイムカプセルとしての面を強調しながら、それが千年のときを超えて現在も継続しているとの主張は、なるほど一見矛盾するように思えなくもない。その論理構成を補強するだけの物証に乏しかったのも確かだし、国家祭祀といいながら、古墳群が地元豪族宗像氏の奥津城だけにとどまったのも、海外の目には釈然としないものとして映ったのではないか。なにより、記紀神話に端を発する神々の世界や信仰形態が具体的にどのように引き継がれているか、多くの市民が日常的に教会を訪れ、祈りを捧げるような西洋社会とは異なるだけに、どうしてもわかりにくいのはやむを得ない。

もちろん、無形要素が大きなウェートを占める既存の世界遺産は少なくない。国内でも「紀伊山地の霊場と参詣道」などはその最たるものだが、こんな先例があるにもかかわらず「宗像・沖ノ島」のようなイコモス勧告がなされたのは、逆に言えば、その時々の評価や裁量がいかに揺れ動くものかを露呈したと言えよう。かねてより文化的景観をはじめとする「生きている文化」の取り扱いは言及されているところだし、今後、推薦案件の多様化の流れに乗り、OUVを語るうえで無形的なバックラウンドの理解が欠かせない候補は増えていくはずだ。

その意味で「宗像・沖ノ島」は、不動産の世界遺産条約、無形遺産の無形文化遺産保護条約と分かれたユネスコの取り組みにも限界と再検討の余地があることを突きつけたと言え、ある意味、未来の世界遺産制度の指針を考えるための有益な検討材料を提供したとも言えるのではないか。

公開や活用にも一石

一般に公開されていない資産における保存や活用はどうあるべきか。この問題でも「宗像・沖ノ島」は今後の参考になりそうだ。

世界遺産登録の実現で、沖ノ島の認知度が飛躍的に上がるのは間違いない。だが、もともと沖ノ島は「一木一草一石たりとも持ちだしてはならない」「島内で見聞したことを他言してはならない」といった禁忌に守られてきた聖なる島であり、女人禁制の地でもある。五月の現地大祭をのぞき、原則として一般の上陸は固く禁じられてきた。

登録を受けて沖ノ島の所有者である宗像大社は、これまで続けてきた現地大祭での上陸希望者の公募を停止する方針を打ち出した。あえてこの時期に資産保護を最優先する毅然とした決意を表明したわけだが、一般の希望者にとっては年に一度の入島機会が失われることになるため、困惑や落胆、不満の声が予想される。宗像市などの地元自治体には、この特殊な資産への理解と周知を徹底するための、いっそうの広報活動が求められよう。

世間には、世界遺産はすべて公開されてしかるべき、との誤解が少なからず流布しているようだ。沖ノ島の持つ宗教的禁忌が十分に認知されているとも言いがたい。実際、クラクフでも委員国のフィリピンから女人禁制について質問が出た。なるほど、最近、大相撲の地方巡業で、土俵上に倒れた市長の救急救命に上がった女性に対して若い行司が土俵から降りるようアナウンスして物議を醸した例を引き合いに出すまでもなく、男女同権が進む現代社会でこのたぐいの閉鎖性に違和感を覚える向きもあるだろう。

　ただ、既存の登録物件のなかにも、活動中の修道院など宗教上の理由で男性女性を問わず性的な規制が存在するものは少なくない。クラクフでは先の質問に対して、上陸は神職のみで伝統的に男性であること、また、既存の世界遺産には女性が立ち入れないギリシャのアトス山のような例がすでにあるし、逆に男性を禁じる物件も存在する旨の回答がなされた。国内においても、たとえば「紀伊山地の霊場と参詣道」の一角を占める大峯山の入り口には女人禁制の結界がある。伝統の継続を尊重することもまた世界遺産の趣旨であることに鑑みれば、未公開や女人禁制の維持は条約理念と必ずしも矛盾するものではなかろう。往時の価値観を現代の枠組みや見識のみで切り取ることは歴史遺産の本質をゆがめることにもなりかねないし、世界遺産の趣旨に沿うものでもあるまい。

　一方で、世界遺産の登録は、性的な規制がどのよ

霊峰の大峯山に立つ女人結界門（奈良県天川村）

うに宗教活動とリンクするのか、それが始まったのはいつで、どんな歴史的事象をきっかけにしているのか、などをタブー視することなく、逆に研究の深化を進め、新たな保護・活用の指針をつくるチャンスでもある。

世界遺産公開のあるべき姿とはなんなのか。「宗像・沖ノ島」にしても、人類共有の宝である世界遺産になった以上、その厳しい制約と引き換えに、観光客や訪問者を満足させるだけの受け入れ態勢を充実させることが大切なのは言うまでもないし、それを承知の上で登録活動はなされたはずである。たとえば、いにしえより沖ノ島上陸への代替策となってきた沖津宮遥拝所（大島）からの崇拝行為を追体験し、いろんな信仰の在り方を実感してもらう工夫などもあっていい。むしろそれこそが、先人たちが数々の障害を自らの知恵で乗り越えながら刻んできた悠久の歴史の重みを体感し、遺産の多様性を実感できる貴重な機会を提供することになるのではないだろうか。

「宗像・沖ノ島」の一角をなす新原・奴山古墳群（福津市）にも、周辺の古墳群と一体化した保存整備が望まれる。

宗像族が活躍した海や大島が望める立地、そのまとまりのよさなどから構成資産になった同古墳群は、より広域の津屋崎古墳群の一部でもあり、宗像族ゆかりの古墳は宗像地方全域に広がっている。だが、初期沖ノ島祭祀との関連が指摘される東郷高塚古墳（宗像市）や二一号祭祀遺跡出土品と同型鏡を持つ勝浦峯ノ畑古墳（福津市）は構成資産から外れ、専門家からも古代宗像族の奥津城としての物証的な裏付けの乏しさを不安視する声が出ていた。新原・奴山古墳群は国史跡で、全面的な発掘は実施されていない。史跡指定の目的がそれを後世に残すことにある以上、必要以上の発掘がいたずらになされることはないから、少ない出土品でイコモスを納得させるだけの価値を証明できるのか、と心配する声もあったようだ。国内保護制度と世界遺産とを整合させるうえでのジレンマと言えよう。

奈良の丸山古墳に次ぐ巨大石室で有名な宮地嶽古墳（福津市）も今回の構成資産に含まれていない。その出土品は国宝として国立博物館で目にすることができるほどの内容で、娘の尼子娘を大海人皇子（のちの天武天皇）に嫁がせて皇室と外戚関係を結んだ胸形君徳善の墓との説が考古学的に有力視されているだけに、意外な感もある。しかし、被葬者像にはこの古墳関係者からの異論もあって、残念ながら推薦段階から道を違えることになった。結果として今回の登録には、いまひとつ不完全な印象がぬぐえない。

たとえ国指定文化財であっても所有者の意向を重んじるのが民主国家の姿勢である。ただ、人類共通の財産を標榜する世界遺産において、はたしてそれはどこまで考慮されるべきなのか。もしそれが資産価値を不完全にしかねないとき、自治体や政府はどこまで踏み込めるのか。時として建前と食い違う制度上の不備を踏まえたうえで、学術的な根拠に基づくコンセンサスをいかに担保するかは、私たちに投げかけられた課題であろう。

これからの世界遺産戦略

最後に、「宗像・沖ノ島」を通して見えてきた課題を世界に広げ、もう少しグローバルな視点から今後の世界遺産戦略をみることにする。

日本の批准は条約採択から二〇年後だ。なぜここまで遅れたかは様々な理由が指摘されているが、いずれにしろ、それまでの日本にはすでに、世界的にも精緻で先進的な保護制度が確立されており、その存在が大なり小なり影響したのは確かだろう。お互いの理念が異なる以上、ダブルスタンダードは好ましいことではない。結果的にそれが批准の前に立ちふさがっていたとみても、あながち誤りではなかろう。

だが、国内における世界遺産の認知が高まるにつれ、両者は歩み寄りを見せ始める。国内の保護制度が世界遺産に引きずられ始めた感があるのは否めず、さらにはユネスコへの推薦ありきの指定ではないか、と思うことも少なくない。ただ、世界遺産を意識した政策は必ずしも非難されることではないし、むしろ世界遺産が国内法や文化財保護制度に及ぼしたメリットは小さくない。我が国が様々な刺激や考え方をそこから享受したことも否定できまい。

たとえば、「点」として認識されてきた単体の構造物を、周辺環境も含めた「面」でとらえようとする近年の潮流は、バッファーゾーン設定の概念や文化的景観のコンセプトに通じる。地域コミュニティー重視（『世界遺産条約履行のための作業指針』における五つ目の「C」）は、文化庁が地域社会の協力を得ながら文化財を守る手段として打ち出した歴史文化基本構想とも共通するだろう。廃墟となった炭鉱の島「端島（軍艦島）」（長崎）など大規模な近代化遺産で文化財指定が進んだことにも、世界遺産の影響を無視できまい。

指定文化財以外への保護対象の広がりは、文化庁以外の省庁の参入を促す。「明治日本の産業革命遺産」では、稼働中の工場施設が文化財ではないため、文化庁ではなく内閣官房が主導したが、このような文化財保護法から外れた「文化遺産」の増加も予想され、それに対応できる新たな保護体制の充実が急務となっている。

繰り返しになるが、国内制度とユネスコ条約とでは、もともと成り立ちも理念も違う。しかし、グローバリズムの進展は両者の垣根を取り払いつつある。言い換えれば、お互いの欠点を補完しながら、自らをより普遍的かつ汎世界的な制度へと止揚させるべき時代に至ったと言えそうだ。「宗像・沖ノ島」も世界遺産という目標がなかったら、ひとつのストーリーのもとに広域に散らばった資産群を結びつけることは難しかっただろう。その意味で、世界遺産への推薦は宗像の地に、新たな保護思想を持ち込んだと言えるのだ。

文化財の活用と観光資源化とがますますの接近を見せるなか、文化審議会は二〇一七年暮れ、文化財の規制を緩和して活用を促す内容を文部科学相に答申した。文化財を生かした地域活性化や観光資源化が進むことは、ある意味、国内文化財の世界遺産化ともいえ、ますます両者のオーバーラップを促すかも知れない。一方で、観光戦略の名の下に、開発と対峙してきた文化財保護の理念がなし崩し的に崩壊してくのではないか、と懸念する声は強い。それは、世界遺産の国内推薦の条件となっている文化財指定に対して、学術的な検討を軽んじた、世界遺産登録ありきの指定ではないか、という批判とどこか重なる。もし近年の傾向が、文化遺産におけるポピュリズムの弊害を惹起するならば、それは世界遺産に指摘される負の側面さえも引き継ぐことになりはしないか。

登録に浮かれる世間に対し、改めて入島禁止の方針を打ち出した宗像大社は、これから加速するであろう無制限な観光資源への取り込みの風潮に先んじて、NOを突きつけた。時世に逆行する決断は、歴史遺産を所有する者としての矜持の表明であり、安易に流されがちな世間に対する痛烈な警告のように思える。

変化や改革が美徳とされる現代社会。それを拒否し、時勢におもねらない態度は、古き良き時代のノスタルジーにしがみついた反動勢力とみなされがちだ。だが、「変わらないこと」の意味を、もう一度考えたい。千年の長きにわたって沖ノ島を守り抜いてきた「変わらないこと」への積極的な意思とはなんなのか。それこそが、めまぐるしく変化する現代社会に翻弄され続ける私たちに「宗像・沖ノ島」が突きつけた、最大のテーゼではないだろうか。

参考文献

岡寺未幾　二〇一七「世界遺産『神宿る島』宗像・沖ノ島と関連遺産群登録への軌跡」『考古学研究』六四―三、考古学研究会

中村俊介　二〇〇六『世界遺産が消えてゆく』千倉書房

中村俊介　二〇一一「曲がり角の世界文化遺産――登録物件の増加にともなう条約理念の変質」『遺跡学研究』八、日本遺跡学会

中村俊介　二〇一五「政治に翻弄される世界遺産――2015年、ドイツ（ボン）における第39回世界遺産委員会の報告」『考古学研究』六二―三、考古学研究会

中村俊介　二〇一七「MONDAY解説　増える世界遺産　抱える矛盾」『朝日新聞（5月22日付朝刊）』

中村俊介　二〇一七「世界遺産は生き残れるか」『考古学研究』六四―三、考古学研究会

西村幸夫・本中　眞編　二〇一七『世界文化遺産の思想』、東京大学出版会

『「宗像・沖ノ島と関連遺産群」研究報告』Ⅰ～Ⅲ、「宗像・沖ノ島と関連遺産群」世界遺産推進会議、二〇一一～二〇一三年

『月刊文化財　特集：世界遺産「神宿る島」宗像・沖ノ島と関連遺産群』六五一、第一法規、二〇一七年

『月刊考古学ジャーナル　特集：沖ノ島祭祀遺跡とその周辺』七〇七、ニューサイエンス社、二〇一八年

岐路に立つ世界遺産

表面化する矛盾と課題

シンポジウム『世界遺産「百舌鳥・古市古墳群」を守り、活かし、そして未来へ』要旨集
（羽曳野市世界遺産「百舌鳥・古市古墳群」保存・活用実行委員会、二〇二一年）

バーミヤンの悲劇、再来か

風雲急を告げる、とはこのことだろうか。

二〇二一年八月なかば、アフガニスタンのガニ政権があっけなく崩壊した。イスラム主義勢力タリバンの侵攻である。中東情勢とはなんと流動的か、急ごしらえの近代国家というものがいかにもろいものかを、私たちはまざまざと見せつけられた。タリバンが政権の座にあったかつてに比べてその過激な思想は若干軟化しているとはいうけれど、やはりあの悲劇を思い起こさずにはいられない。そう、バーミヤン大仏の消滅である。

険しい断崖に巨大な磨崖仏二体と無数の石窟が密集し、かの玄奘三蔵も『大唐西域記』のなかで描写した仏教遺跡バーミヤン。その長い歴史に終止符が打たれたのは二〇〇一年のことだ。偶像崇拝を認めないタリバンは仏像や貴重な壁画を破壊した。皮肉なことに、度重なる国際社会の要請が、この遺産が交渉の具になることを気づかせてしまった。きな臭い空気が残る二〇〇六年、イタリアやドイ

ツと並んで復興に乗り出した東京文化財研究所などの修復活動に合わせ、私は現地に入った。無数の地雷に囲まれながら、私はむなしく大仏の亡骸を眺めた。

あれから一五年。タリバンが再び実権を握り、現地の状況は深刻化しつつある。いまのところ目立った文化遺産の破壊は起こっていないようだし、アフガニスタン国立博物館（旧カーブル博物館）も、とりあえずは無事なようだ。けれど、水面下での流出文化財の売買など不穏なうわさも聞こえてくる。

様々な脅威は局地的あるいは一国の問題にとどまらず、世界的にリンクしている。歴史遺産にとって受難の時代は確実に訪れている。既存の世界遺産制度はこれらに対処できるのだろうか。

降りかかる天災、迫り来る人災

世界遺産になれば国際社会がのちのちまで面倒をみてくれるのか。未来永劫、手厚い保護が保証されるのか。むろん、そうではない。登録遺産でさえ多くが、

かの玄奘三蔵も記録に残したアフガニスタン・バーミヤンの仏教遺跡
大仏をはじめとした多くの遺産が破壊された。

今このときもあまたの危機にさらされているのだから。

遺産たちをおびやかす敵には地震や台風、異常気象といった自然災害もあれば、戦争や環境破壊などの人災もある。それらに対処するために危機遺産リストが設けられているが、どういうわけか少なからぬ締約国はこれに消極的である。自分たちの不備を認めることになるわけだから無理もないけれど、これなど間接的な人災と言ってもいいのではないか。

人災で最も悲惨なのは、やはり戦争である。いにしえの趣を残したアレッポのスークはシリア内戦で灰燼に帰し、シルクロードの交易都市パルミラはＩＳ（イスラム国）の手で破壊されてしまった。アドリア海の真珠ドゥブロブニク（クロアチア）の町並みは、その民族的な歴史的価値ゆえに攻撃の標的にされ、シバーム、サナア、ザビードといったイエメンの古代都市も内戦の犠牲者だ。前述のバーミヤンなど、その象徴的な例だろう（※二〇二二年二月、突如始まったロシア軍によるウクライナ侵攻は、西部の古都リビウなどウクライナの世界文化遺産群をおびやかした）。

戦火に限らず、予期せぬ失火もいつ何時、遺産を襲うか知れない。二〇一九年、パリのノートルダム大聖堂と琉球王国の遺産である那覇市の首里城が相次いで猛火に包まれたのは記憶に新しい。

頻発する天災への対応も難しい。たとえば地震。崩れ落ちたアルゲ・バムの要塞（イラン）などがよく知られているが、地震列島の日本も他人事ではない。巨大な台風や大雨など異常気象もそうだ。昨年、「明治日本の産業革命遺産」（二〇一五年登録）の一角を占める軍艦島（長崎市）は台風一〇号の直撃を受け、国内最古の鉄筋コンクリート造りとされる三〇号アパートに大きな被害が出た。そうでなくても経年劣化は進み、高層建築の小中学校の土台には海水が流れ込んで浸食を続けている。やがて基礎が持ちこたえられなくなったとき、上屋は崩れ落ちるだろう。もっとも、世界遺産の登録部分は護岸や生産施設に限られるが、島全体は国の史跡でもあり、バッファー的に一体だ。これだけ巨大な廃墟をそのまま末永く保存する技術はまだ確立されておらず、対応は待ったなしといえる。

だが、それ以上にやっかいなのは、目に見えない地域社会の衰退や消滅ではないか。戦争などが動的ならば、こちらは静的な危機と言えようか。それは人知れずひたひたと迫ってくる。

遺産の保全に地域コミュニティーの役割はますます大きくなっている。ところが、それを支えるべき基盤が次々と失われているのが現実だ。特に過疎化の著しい地方で顕著だが、都市部も安心できない。地方から人口が流入すれば地元意識は薄れ、地域への愛着もなくなるのは道理だろう。たとえば歴史遺産の豊かな下町の旧市街に富裕層のセカンドハウスが増加し、古くからの住民が少な

廃墟と化し、崩壊を続ける「軍艦島」（長崎県長崎市）

くなったという例も報告されている。セカンドハウスに所有者が常駐するわけではないから結果的に空洞化が進み、町はゴーストタウンになりつつあるというのだ。

世界遺産になったがゆえに危機に陥った皮肉なケースも多々ある。私がよく引き合いに出すのはフィリピンの山岳地帯にあるコルディリェーラの棚田だ。急斜面に無数の棚田が営々と築かれた景色は「天国の階段」とも呼ばれるが、その維持には石垣のメンテナンスなどが欠かせない。ところが、世界遺産になって周囲にはホテルやレストラン、土産物店ができた。きつい農作業よりずっと実入りがいいから、若者たちには魅力だ。結果、彼らは先祖代々の営みを放棄し、後継者不足が問題化した。当然、棚田も荒れた。なんのための世界遺産登録なのかと、複雑な気持ちになる。

巨木が遺跡に絡みつく風景（カンボジア・アンコール遺跡群のタ・プローム）
観光客には人気だが、遺産にとっては大きなストレスだ。

「まずは登録！」にストーリーありき？

さて、ここで世界遺産の歴史を振り返ってみよう。世界遺産条約が生まれて、やがて半世紀。一九七二年の採択以来、ユネスコ（国連教育科学文化機関）の最も成功した取り組みとしてもてはやされ、その少々地味な存在を一躍知らしめることになった。登録物件は文化、自然、複合の三分野を合わせて一一五四件（二〇二一年秋現在）にのぼり、うち日本は文化遺産二〇件、自然遺産五件の計二五件。この夏、文化遺産の「北海道・北東北の縄文遺産群」と自然遺産の「奄美大島、徳之島、沖縄島北部および西表島」が新たに加わったことは記憶に新しい。

一〇〇〇件を突破してさすがに多すぎるというわけか、このところの審査では新規登録数が抑制され始めたものの、それでも誰もが一目で価値を実感できる有名資産は減り、逆にローカルでわかりにくい候補が増えてきた。となれば、より魅力的な筋書きでそのわかりにくさを補わざるを得ないのは自然の成り行きだ。言い換えれば、世界が納得できる印象的なストーリーをどうつくり、いかにアピールできるか、が登録実現への鍵を握る。いくら諮問機関のイコモス（国際記念物遺跡会議）が専門家ぞろいといっても、すべての国々の文化や歴史に精通している人は多くないはずだから、極力わかりやすい説明が求められる。そこで避けられないのがストーリーの単純化だ。「長崎と天草地方の潜伏キリシタン関連遺産」（二〇一八年登録）はその典型例だったように思う。

この資産は当初、長崎県下に点在する教会群を軸として登録推進運動が始まった。しかし、イコモスは焦点を禁教下のキリシタン信仰に集中させるよう求め、地元はそれを受け入れた。確かに規模だけみればアミアン（フランス）やケルン（ドイツ）といった巨大な大聖堂に比べるべくもないし、関係者の面々も厳しい現実を突きつけられて世界の壁を実感することになったわけだから誰を責めることもできないけれど、残念ながらこのイコモス要求の承諾が、まずは登録ありきの印象を与えてしまった。

結局、「潜伏キリシタン」は事実上、本格的な禁教時代に突入する島原・天草一揆（一六三七～三八年）に始まり、浦上の信徒が長崎・大浦天主堂でフランス人宣教師に信仰を告白した「信徒発見」（一八六五年）を皮切りに彼らがカトリックに復帰するまでの、二〇〇年余りにわたるドラマチックな物語となった。凄惨な虐殺から篤い信仰をひそかにつなぎ、苦難を耐え忍びながらの解放。まさに信仰の勝利で、確かに劇的だ。ただ、それを強調せんがために前後の歴史的脈絡は切り取られてしまった。

まず、なぜ禁教に至ったのかという前段階。当初、構成資産の候補に挙げられていた日野江城（長崎県南島原市）は外された。熱心なキリシタン大名として知られる有馬晴信が整備した城で、発掘調査で寺院の仏塔などを転用した石の階段が出土している。キリシタン領主の支配下で古来の社寺が排撃されたことをしのばせ、これがのちのち一神教の排他性・攻撃性のエスカレートや組織力の増大を恐れた為政者による対キリシタン政策の伏線になっていくことを説明する好例だった。それが無視されてしまったわけで、実に惜しい。

そして後段。なるほど、感動的な信仰告白とカトリックへの復帰という大団円で終わりたいところだけれど、実は潜伏キリシタンのなかには禁教が解かれたあともカトリックへの復帰を拒み、先祖がひそかに守り抜いてきた信仰や慣習をかたくなに守ることを選んだ人々がいた。「かくれキリシタン」と呼ばれる人々で、禁教期の「潜伏キリシタン」と区別される。長崎県の生月島や五島列島、外海地方など西九州に数百人が現存しているという。したがって、この資産のミソである潜伏期の文化を最も体現しているのが「かくれ」の人々なのだが、皮肉なことにその存在は、今回のストー

ひなびた漁村に溶け込む教会の尖塔
熊本県天草市の﨑津集落も「長崎と天草地方の潜伏キリシタン関連遺産」の構成資産だ。

バーレーン・マナマでの世界遺産委員会で審議される「潜伏キリシタン関連遺産」

リーにそぐわない、いや、むしろ阻害要因となってしまった。もちろん彼らの習俗や信仰形態は無形だから、不動産である世界遺産の対象とはなりえないわけだが、なにか釈然としない。これもまた、構成資産を矮小化されたストーリーへ強引に押し込めようとしたゆえの矛盾といえそうだ。

ここまで極端でなくても、資産候補を選別するうえで、やむを得ず線引きせざるを得ないケースは多い。八県にまたがる「産業革命遺産」もたくさんの候補から二三件にまで絞ったし、「北海道・北東北の縄文遺跡群」では日本列島に広がる縄文遺跡が、なぜ一部地域に限られるのかという説得力ある説明に関係者は頭を悩ませた。構成資産の取捨選択をめぐる苦労は、広域に点在する複数の資産を結びつけてストーリーを紡ぎ出すシリアル・ノミネーションという手法を採用した物件に顕著に表れるようで、近年はその安易な導入に厳しい目が注がれる傾向にある。加えてその背景には、二〇〇六年度・〇七年度の二度にわたって文化庁が自治体から募った立候補方式の限界も見え隠れする。国境を越えたトランス・バウンダリーの推薦が推奨されて、より当事国の政府間で調整能力が求められる昨今、次の暫定リストの補充方式がどうなるのか、注目したい（※160ページの補足説明を参照）。

政治は敵？　パートナー？

世界文化遺産は各国からの推薦物件をイコモスが専門的見地から四段階で評価し、その勧告を受けて二一の委員国が登録の可否を判断する。ところが、委員会の決議がイコモスの評価と異なるケースが常態化しており、政治介入が学術的な価値づけをないがしろにしているとの批判もある。だが、ことはそう単純ではない。そもそも政府間の国際条約なのだから政治的意向にもとづく働きかけは当然だし、むしろノウハウに乏しい国々が推す弱小候補のセーフティーネットとして肯定的にとらえる向きもある。とはいえ、動産を対象にしたユネスコの事業「世界の記憶」でみられた「南京大虐殺」をめぐる混乱でもわかるように、国々がエゴをむき出しにし、遺産たちを露骨に外交の具として利用するようなら、やはりいただけない。

たとえば、「産業革命遺産」の審査会場となったドイツのボンでは、委員国のひとつだった韓国が土壇場で登録反対に転じた。戦時中に自国民が「強制労働」させられた施設を登録するなんてけしからん、というわけだ。世界遺産委員会の開幕前、一度は日韓で話はまとまったとみられていたが、くすぶっていた懸念が現地で再燃した格好で、平和を希求するユネスコ会議の舞台が二国間外交の戦場と化してしまった。報道陣も振り回され、へたをすれば登録は危うい状況に陥った。私もボンにいたが、加勢に来てくれたヨーロッパ総局（ロンドン）やベルリン支局、ソウル支局の記者たちと、異邦の地でまさかの夜討ち朝駆けを決行。幸い、議長国ドイツの仲介斡旋もあってギリギリで事なきを得たが、二国間のもめ事が世界に見苦しい姿をさらしてしまった感は否めない。

もっとも、特定物件の登録をめぐる国家間のいさかいは、パレスチナとイスラエルの軋轢やタイとカンボジアの対立などいくらでもある。複雑な状況に置かれた候補の扱いの難しさは理解できるが、むしろこの機会をポジティブにとらえて問題解決や融和へのきっかけにできないものか、と思うのだけれど。

また、地の利と言ってよいのだろうか、開催国・地域の候補がイコモス勧告を覆し、ご祝儀さながらに登録決議を得ることもある。あるいは、登録数の少ないアフリカの国々が連携して組織的に圧力を掛けるといった動きも耳にした。国際会議は国家間の駆け引きの場とはいえ、違和感をぬぐえない。もし国際条約に限界があるとすれば、それがもたらすデメリットはなんなのか。国際社会はどう対処すればよいのか。一朝一夕に答えの出ない本質的な課題だが、締約国はそこに目を背けることなく真摯に向き合い、解決への糸口を模索していく義務があるように思う。

保存vs.観光、公開vs.非公開

世界遺産になれば、たくさんの観光客が見込める。確かにユネスコの〝お墨付き〟は絶大だ。メディアの特集番組や記事、旅行業界のPRもあってか、世界遺産はどんどん身近になり、そのおかげで巷には、すべて無条件で公開されるべきものという誤解が流布しているようだ。しかし、世界遺産制度の目的は遺産を保護し、後世に引き継ぐこと。この大前提をおびやかすような公開が認められないのは当然だろう。

たとえば西洋には現在も宗教活動を続ける修道院など公開を制限している所がある。日本でも「紀伊山地の霊場と参詣道」（二〇〇四年登録）の一角を占める大峯山（奈良県）や玄界灘に浮かぶ神の島、沖ノ島（二〇一七年登録）では、いにしえよりの禁足地や女人禁制が今も命脈を保つ。これらをめぐってはジェンダー論のなかでその是非が取り上げられたり、実際、ポーランドの古都クラクフで開かれた委員会での沖ノ島の審議では、委員国からその手の質問が出たりもした。なかなか悩ましい問題だけれど、過去から連綿と続く信仰や思想的連続性を現代の価値観でたやすく切り捨てることはできないし、むしろこの宗教的禁忌こそが長い年月を越えて遺産を守ってきた事実を忘れるわけにもいかない。沖ノ島では登録を機会に、島を所有する宗像大社がそれまで年に一回の現地大祭で特別に許可してきた一般の上陸を全面的に中止した。

公開の制限は、「産業革命遺産」における稼働中の構成資産にも当てはまる。企業活動の一環として操業中だけに、安全性や機密情報保持などの関係上、観光客への無制限の公開は難しい。

みなさんが誇る「百舌鳥・古市古墳群」も無関係ではない。堺、藤井寺、羽曳野三市にまたがる大小四九基のなかには、宮内庁が管理する陵墓や陵墓参考地が含まれる。大山古墳や誉田御廟山古墳など、まさにこの資産の中核を占める巨大古墳だが、静謐と安寧がはかられるべき天皇家の墓所であるため立ち入りは制限されており、公開や現地調査を求める声はくすぶり続ける。果たして名称通りの歴代天皇が本当にそこに眠っているのか、疑念も消えない。宮内庁と学界の対立が続いてきたが、そこに世界遺産登録という〝外圧〟が加わった。政府からユネスコに届けられた名称は「仁徳天皇陵古墳」や「応神天皇陵古墳」。これでは世界に対し、間違いなく仁徳天皇や応神天皇がここに葬られているとすり込むことになり、被葬者をめぐる論争自体が忘れられかねない。そんな事態を危惧する考古学や文献史学の複数学会は名称の表記に学術的な用語、すなわち「大山古墳」や「誉田御廟山古墳」の併記を求めた。

もっとも、被葬者が定まらないからといって即、オーセンティシティー（真正性）に抵触したり価値が減じたりするわけではない。が、遺産を後世に伝えるということは、これら資産にまつわる様々な情報も一緒に伝えていくということだ。とてもナイーブな問題だけれど、これからも地元住民、いや国民全体を巻き込んだ形で議論を尽くさなければならないだろう。

いずれにせよ、世界遺産にとって観光や地域浮揚策への利用はあくまで副次的なものであり、公開もまた決して金科玉条の条件ではない。私たちの手に届かない資産がたくさんあることを知り、それらを気遣う理解と寛大な気持ちを持つこと。それこそが大切な遺産たちを未来につなげていくための不可欠な要件なのではないか。

さて、世界遺産には明るい面もあれば暗い面もあるということを知っていただけただろうか。国内の文化財保護ではますます地域の力が必要とされているが、それは世界遺産であっても同じ。世界遺産というマクロな動きと、地域の歴史財産を守り支えるというミクロな取り組みは、別々どころか密接な関連を持っている。ここ「百舌鳥・古市」を擁する羽曳野市でも、みなさん一人一人の古墳群への関心と理解、そして愛着こそが世界遺産保護の原動力なのである。

登録はゴールではない

私は行政の職員ではないし、研究者でもない。マスコミに身を置く、いわば傍観者だが、それゆえに気づくことも少なくないと思う。三〇年ほど歴史や考古学、文化財を担当している関係で、世界遺産ではいくつかの現場に立ち会ってきたし、公私合わせてのべ四〇カ国ほどに足を運び、海外の文化遺産が置かれた状況も直に見てきた。東京本社勤務時には文化庁を担当したこともあって世界遺産の制度的な面に触れる機会も得た。西部本社（福岡）勤務時には管内の九州・山口・沖縄地域から三件の推薦が立て続けに出て、地元での取材はもちろん、ボン（ドイツ）やクラクフ（ポーランド）、マナマ（バーレーン）での世界遺産委員会の審議を現地から報じることができた。二〇一九年の春には大阪本社に赴任し、ここ「百舌鳥・古市」登録の一連の報道に携わることができた。われながら幸せな記者生活だと、つくづく思う。

ユネスコへの推薦枠を獲得するまで、資産を抱えた自治体では悲喜こもごものドラマが展開される。構成資産から外れて涙をのんだ地元も多い。では、こぼれ落ちた資産は、選ばれた候補に劣るのか。もちろん、そんなことはない。むしろ世界遺産の価値を強化するものとしてそれらを積極的に取り込み、世界遺産条約と国内の文化財保護制度を組み合わせた、総合的で立体的かつ恒常的な保護体制を構築するべきだろう。これについては文化財の無用なランキングを促すとして否定的な考えもあるが、世界遺産にしても国内制度にしても目指すところは同じだし、そもそも世界遺産推薦には国内制度が整っていることが前提だから、お互いの相性が悪いはずはない。世界、国、自治体、地域社会が一丸となって歴史遺産を支え守るという組織の枠を越えた意識の変革と啓発が、これからの遺産保護制度には求められている。

一方で、懸念は深まるばかりだ。その一端は述べてきた通りだが、今年、イギリスの「海商都市リヴァプール」の登録が抹消された。オマーンの「アラビアオリックスの保護区」とドイツの「ドレスデン・エルベ渓谷」に続く三例目だ。以前からウォーターフロント開発による景観の悪化が指摘され、私も数年前、現地で取材したことがあるけれど、その不安がついに現実のものとなった。危機遺産リストにはほかにも、登録抹消の不安を抱える候補が複数記載されている。第四、第五の抹消が続かないとも限らない。世界遺産の登録は決してゴールではない、そんな思いを私たちは改めて思い起こす必要がありそうだ。

ジャーナリズムの使命とは

以上、かつて手がけた世界遺産関連の論文等を時系列に並べさせていただいた。それぞれに執筆当時における諸課題や問題点が反映されているはずである。

時間とともに数々の資産は変容し、あるいは消滅してゆく。人の手を介した創造物である限り、それは避けられない。だから、あえてそれらを「現在」の姿に固定化する世界遺産制度という営みは、ある意味、歴史の流れに逆らうきわめて人工的で不自然な営為であろう。

けれど、見方を変えればそれ自体もまた、二〇世紀や二一世紀に生きる私たちが過去の人類遺産にどう向き合い、そこにどんな価値を見いだしていたかを後世に証言する貴重な遺産になりうるのではないか。

そのために、いま世界遺産制度に次々と表面化する課題や矛盾を可能な限り書き残すこと、それがジャーナリズムの世界に身を置く私の、ささやかな使命だと思うのである。

あとがき

文化財と世界遺産――。成り立ちも理念もシステムも異なる両者ながら、そこには数多くの共通項がある。かつては交わるはずのなかった双方の概念がいまオーバーラップを始め、もはや切り離すことはできない時代に突入している。言い換えれば、両者は相互補完的な役割を果たしうるし、それぞれが抱える課題の解決はすなわちお互いに有益でもある、ということだ。考えてみれば、いずれも究極の目標は人類遺産を後世に伝えることなのだから、それはしごく当然なのである。したがって、日本の文化財も一国の枠を越え、世界の文化遺産に連なるとの視点が求められているように思う。

一方、グローバル化の波にのって同一の価値観が地球を包み込むかと思われた世界では、むしろ多様性が再び叫ばれ始め、ときにナショナリズムに結びつく状況も目立つ。消えゆくボーダーが逆に個別性を際立たせているわけで、それは世界に厳然と横たわる貧富の格差や不平等を改めてあぶり出していることと表裏をなすのかもしれない。

学界はどうか。ともすれば嗜好や趣味の世界として実生活と遊離しがちだった人文科学。緻密さを誇りながらガラパゴス的と揶揄されるほど内向的だった日本の考古学や歴史学も、いまや市民社会との接触なしには成り立たない分野となり、その成果が広く還元されるべき実学になった感がある。

こんな動きにマスコミはどう介在するべきか。ジャーナリズムはどんな役割を果たしうるのか。それを自問し続ける姿勢こそが、いま私たち記者に求められていることなのだろう。

近年、文化財保護法がうたう「保護」には保存とともに活用の意味が含まれる、という説明をよく耳にするようになった。文化コンテンツの資源化が声高に叫ばれ、国がその旗を振る。この流れを地域ぐるみで進めようと文化財保護法自体も改正され、地域に点在する歴史遺産を指定・未指定を問わず守るために、地元社会の積極参加が奨励されている。もはや行政のみでの保護施策が限界に来ている現状の裏返しでもあるのだろうけれど、歓迎すべきことに変わりはない。それは『世界遺産条約履行のための作業指針』がコミュニティーの参画を促すように、世界の潮流とも整合的である。

活用といえば観光や地域振興など経済面ばかりを思い浮かべがちだが、もし住民が地元の歴史遺産にふれることで自らのアイデンティティーや自信、誇りを取り戻し、疲弊し衰退する地域社会の復興に向けた活力とモチベーションがはぐくまれるとすれば、それこそが最も重要な「活用」の成果だろう。そのためには歴史遺産や文化財の価値がしっかりと住民に理解され、根を下ろしていなければならない。それを推進する有効なツールがメディアによる報道であり、ここに考古学ジャーナリズムの存在する意義があるのではないか。現段階で私が至った結論である。

しごく当たり前でわかりきったことなのだけれど、それに気づくのに三〇年以上を要した。大事なことというのは、案外そんなものなのかもしれない。

「活用」とはなにも歴史遺産だけに限らず、美術でも音楽でも伝統芸能でも、すべての文化的営みに当てはまるが、ここでは本書の性格上、文化財と考古学に焦点をあてた。ここから多方面に敷衍させ、本書が社会に活力をもたらすきっかけになれば、筆者としてこれ以上の喜びはない。

二〇二二年初夏、新緑の大阪城公園にて

朝日新聞編集委員　中村俊介

■著者紹介

中村俊介（なかむら しゅんすけ）

1965年、熊本市生まれ。早稲田大学卒。朝日新聞新潟支局、東京本社文化部、大阪本社編集委員などをへて現在、西部本社編集委員。

著書に『古代学最前線』（海鳥社）、『文化財報道と新聞記者』（吉川弘文館）、『世界遺産が消えてゆく』（千倉書房）、『遺跡でたどる邪馬台国論争』（同成社）、『世界遺産　理想と現実のはざまで』（岩波新書）など。

《検印省略》2022年 11月 10日　初版発行

「文化財」から「世界遺産」へ
考古学ジャーナリズムの視点

著者
中村俊介

発行者
宮田哲男

発行所
株式会社 雄山閣
〒102 0071　東京都千代田区富士見2-6-9
Tel：03-3262-3231
Fax：03-3262-6938
URL：http: //www.yuzankaku.co.jp
e-mail：info@yuzankaku.co.jp
振　替：00130-5-1685

印刷・製本
株式会社ティーケー出版印刷

ISBN978-4-639-02865-9　C0021
N.D.C.210　200p　21cm